ブックレット・ボーダーズ

No.8

知られざる境界のしま・奄美

平井一臣 編著

特定非営利活動法人 国境地域研究センター

ブックレット発刊によせて

二〇一四年四月、総合的なボーダースタディーズ（境界・国境研究）の振興を目的とした民間の研究所として特定非営利活動法人・国境地域研究センター（ＪＣＢＳ：Japan Center for Borderlands Studies）が誕生しました。世界では、北米を本拠とする境界地域研究学会（Association for Borderlands Studies）、移行期の境界地域ネットワーク（Border Regions in Transition）などの活動が知られてきましたが、我が国には北海道大学グローバルＣＯＥプログラム「境界研究の拠点形成」が始動するまでボーダースタディーズのコミュニティは存在しませんでした。これは海に囲まれた島国・日本に暮らす私たちが境界・国境の問題に長年、無自覚であり、いわば内向きの歴史を積み重ねてきたこととも無縁ではありません。

近年、国際情勢の変動のもと、私たちの意識も大きく変わりつつあります。二〇一一年一一月には、境界・国境地域の実務者と研究機関を結ぶ境界地域研究ネットワークＪＡＰＡＮ（ＪＩＢＳＮ：Japan International Border Studies Network）が設立、また二〇一三年四月、北海道大学スラブ研究センター（当時）に境界研究ユニット（ＵＢＲＪ：Eurasia Border Research Unit, Japan）が設置されるなど、大学・自治体間の連携が強まっています。我が国の将来を見据えたときに、境界・国境問題に対する世界的な研究・実務の経験を学ぶこと、これら知見をもとに私たち自身の境界問題を考えること、さらには境界地域に暮らす人々の目線で地域の発展を模索すること、これらすべてが喫緊の課題になっていると思われます。境界をめぐる様々な問題に関する視座と知識の涵養のため、国境地域研究センターはブックレット・ボーダーズをここに刊行することにしました。本ブックレットがひとりでも多くのみなさんに境界地域のあるがままの姿やその未来への可能性をお届けできる一助になれば私たちの喜びとなります。

国境地域研究センター・ブックレット編集委員会

目次

はしがき ——国道五八号線物語

海上国道という言葉がある。海の上を含めて陸とつながっている国道である。そのなかでもっともユニークな国道が五八号線である。総延長八八〇キロに及ぶ道だが、その七割近くが海の上にあるとされる。実はブックレット四号『日常化された境界——戦後の沖縄の記憶を旅する』（屋良朝博《やらともひろ》ほか編）は、この五八号線を終点の那覇から国頭村《くにがみそん》までさかのぼって北上し、基地という空間の存在により沖縄本島がいかに境界により「分断」されているかを描いたものだ。

58 号線の先の桜島

この五八号線の基点が、鹿児島市の中心地近くの中央公民館である。西郷隆盛《さいごうたかもり》の像から桜島の方向に伸びる道は、港までのわずか七〇〇メートル。この一帯には屋久島《やくしま》と種子島《たねがしま》に向かう船着き場、三島（竹島《たけしま》、硫黄島《いおうじま》、黒島《くろしま》）や十島《としま》（トカラ）に向かうフェリー乗り場、奄美《あまみ》を通って沖縄へと向かうフェリーターミナルが広がる。五八号線は、いったん種子島の西之表《にしのおもて》で陸路となり、また南種子《みなみたね》の島間《しまま》で海路となる（約五〇キロ）。次は奄美大島の笠利《かさり》で陸に上がり、瀬戸内の古仁屋《こにや》で海に戻る（約七二キロ）。そしてかつて沖縄と「日本」を分断していた北緯二七度線を横切って沖縄本島へ到達する。その意味で、本ブックレットは『日常化された境界』の続編でもある。

ところでブックレット・ボーダーズを創刊して以来、奄美の号を作ることが、ひとつの夢であった。奄美ほど、日本のなかで境界（ボーダー）のことを考える格好の素材はないからだ。奄美にあこがれつつも、長い間、私が行ったのは徳之島《とくのしま》だけ。二〇一一年九月、日本島嶼《とうしょ》学会の「国境フォーラム」を共催したときである。それまで学会との共催で、根室や対馬で「フォーラム」を組織したのだが、徳之島の「国境」は「こっきょう」ではなく、「くにざかい」と呼ぶ。いわば、今の日本がひとつではなく、歴史的に様々な境界を包摂《ほうせつ》した空間である、奄美こそこれが可視化できる場所だというのがそのメッセージであった。

実際、このフォーラムでは報告者として、本ブックレットの編者である鹿児島大学の平井一臣《ひらいかずおみ》さん、奄美の復帰運動に沖縄との関係で光を当てた著作『地のなかの革命』（Ⅳ章を参照）を出したばかりの森宣夫《もりのぶお》さん、そして沖縄の視座が欲しいと思い、沖縄タイムスの屋良朝博記者（のちに衆議院議員）を招請《しょうせい》した。当時は、普天間《ふてんま》移設、つまり辺野古《へのこ》への米軍基地移設問題をめぐる議論が衆目を浴びており、これを徳之島に持ってくるという話もあったことで、タイムリーな企画となった。私自身、薩摩《さつま》と琉球《りゅうきゅう》の関係性を鑑み、鹿児島が米軍基地を引き取るといったイニシャティブをとらないのかなどと問い詰め、平井さんを困らせた覚えがある（詳細は、「奄美・徳之島で考える日本の『境界』」『ライブ・イン・

ボーダースタディーズ』第8号、二〇二一年 [https://src-h.slav.hokudai.ac.jp/BorderStudies/essays/live/pdf/Borderlive8.pdf])。

一〇年が経った。二〇一九年秋から二〇二〇年春にかけて、鹿児島大学の国際島嶼教育研究センターに滞在する機会を得た。鹿児島大学を滞在先に選んだ主たる理由は、もちろん奄美である。センターの客員研究員として大学の奄美分室を始めとする施設を利用させていただくことで、二月におよそ三週間かけて鹿児島港から船でトカラ、奄美を南下し、沖縄本島を経て、八重山《やえやま》まで旅をする機会を得た（コロナ禍が広がる直前であったのは幸いだった）。トカラにも立ち寄りたかったが、船から降りて島を廻ると便数の関係でそれだけで二週間が終わってしまう。そこでせめて島影を見たいと思い、フェリーとしまに乗ることにした。奄美大島に向かう人が通常乗ることのないこのフェリーは、トカラの島々に寄っていく。夜二三時に鹿児島港を出たフェリーは、朝五時着の口之島《くちのしま》を皮切りに一一時半着の宝島《たからじま》までだいたい一時間おきに入港する（名瀬《なぜ》着は一五時半頃）。うたたねを繰り返しながら、島に入るたび、眠い目をこすりながら写真を撮った。

大島では平井さんから紹介された、南海日日新聞社の久岡学《ひさおかまなぶ》記者にお世話になった。久岡さんのおかげで、喜界島《きかいじま》、沖永良部島《おきのえらぶじま》、与論島《よろんじま》の方々を紹介いただいた。加計呂麻島《かけろまじま》にぜひ行くべし、戦跡を見よというのも久岡さんのアドバイスだった。このご縁のおかげで、札幌に戻った後、二〇二〇年五月から「ボーダーから奄美を考える」というコラムを担当することになった。

国道五八号線をすべてフェリーに乗って沖縄まで南下するという当初の目論見は、残念ながら、時化《しけ》で泡と消えた。船が欠航となったため、沖永良部には飛行機、いわゆるアイランドホッパーで飛んだ。しかも一度、海が荒れると船の旅は続かない。余波が続き、船は動いていても、沖永良部から与論には渡ることができないと連絡が来た。いわゆる「抜港《ばっこう》」、船は来ても、港は素通りされるという、この単語を初めて知った。

結局、頼りは飛行機であった。ホッパー便は沖永良部から那覇へと飛ぶ。那覇で一泊して、与論へ向かう。ホッパー便は（鹿児島に軸足を置く）日本エアコミューター（ＪＡＣ）だったが、与論への便は琉球エアコミューター（ＲＡＣ）だ。要するに、与論は空の上では沖縄の「領域」ということなのだろう。

思いがけず、那覇経由で一日遅れとなった与論到着。初めて訪れた与論は私にとっては長年、もっとも気になる場所であった。高校時代、鹿児島で暮らしていた私の親友が、フェリーを運行する大島運輸の専務の息子だったからだ。高校二年の夏休み、彼は私を与論に誘った。船代がタダになるから、一緒に行こうと。私は事情があって行けなかったが、与論と聞くと今は亡き彼を思いだす。一九七〇年代後半の

アイランドホッパー

与論は今とかなり違う姿だったろう。返還直後で、沖縄のリゾート開発が本格化する前であり、多くの新婚さんや若者が集う場であったはずだ。そして、さらに一〇年さかのぼれば、いわゆる北緯二七度線が「国境」のように沖縄へ向かう海上に引かれていた。翌日、与論から沖縄に国道五八号を船で向かう。夢はかなった。ずっと甲板にいて目をこらしていたが、沖縄と与論を分かつ線は見えなかった。

与論で私を案内してくれたのが、喜山康三《きやまこうぞう》さん。今は何度目かの町議をしておられるが、与論が観光で盛り上がっていた頃、スキューバダイビングのガイドや機材レンタルの提供はおろか、ヨットを出し、釣りや海水浴のお世話をし、トイレや休息室もある大型イカダを運営するなど、お客さんを楽しませることを生き甲斐とされていた方だ。当時、夜はスナックもディスコも経営。その喜山さんから、北緯二七度線にまつわる話を聞いた。(久部良和子《くぶらなぎこ》さんの)コラムでも触れられているが、沖縄復帰を求める洋上活動が始まった一九六三年四月二八日。当時、与論中学二年生だった喜山さん、茶花《ちゃばな》の自宅から琴平神社まで「沖縄を返せ!」と唄いながら、運動隊列についていったとか。高校生として大島に渡った喜山さん、三年生のとき、名瀬でのマラソン大会に「沖縄を返せ!」をゼッケン番号の上に書いて走る。喜山さんは停学処分を受けそうになった。だが校長室に身元引受人の県議会副議長と一緒に呼ばれ、叱責されるかと思いきや、頭をさげたのは校長だったという。副議長はこう言ったとか。「校長先生は与論に行かれたことがありますか? 与論から沖縄本島は目と鼻の先で若者は復帰を望むのは当たり前だ」。

奄美は薩摩と琉球の境界地域である。だが奄美そのものが、また内なる境界をさまざまに抱え込んでいる。与論の話はその最たるエピソードなのだが、本ブックレットはこの奄美のもつ境界としての多重性を意識して編まれている。

編者でもある平井一臣さんには、奄美の紹介と平井さんが詳しい島をめぐる政治について書いていただいた。奄美の歴史については考古学の立場から、その境界性を俯瞰《ふかん》している奄美博物館の高梨修《たかなしおさむ》館長に、トカラから奄美に至る「海の道」の境界変動については、沖縄問題にも詳しいラドミール・コンペルさんに執筆を依頼し、この四つのエッセイが柱となっている。これに重なるかたちで各島々のエピソードに多面的なかたちで切り込んだコラムが盛り込まれている。奄美をこれから勉強する方々にとっては旅のガイドブック、入門書として、奄美をそれなりに知る読者にとっては「知られざる奄美」を発見できる、類書なき一冊になったのではないかと感じている。

二〇二一年七月、ユネスコの国際自然保護連合は、奄美大島、徳之島、沖縄本島北部及び西表島を世界自然遺産に登録することを決定した。読者のみなさんが本ブックレットを通じて、より奄美の魅力のとりこになることを願いつつ。

(岩下明裕)

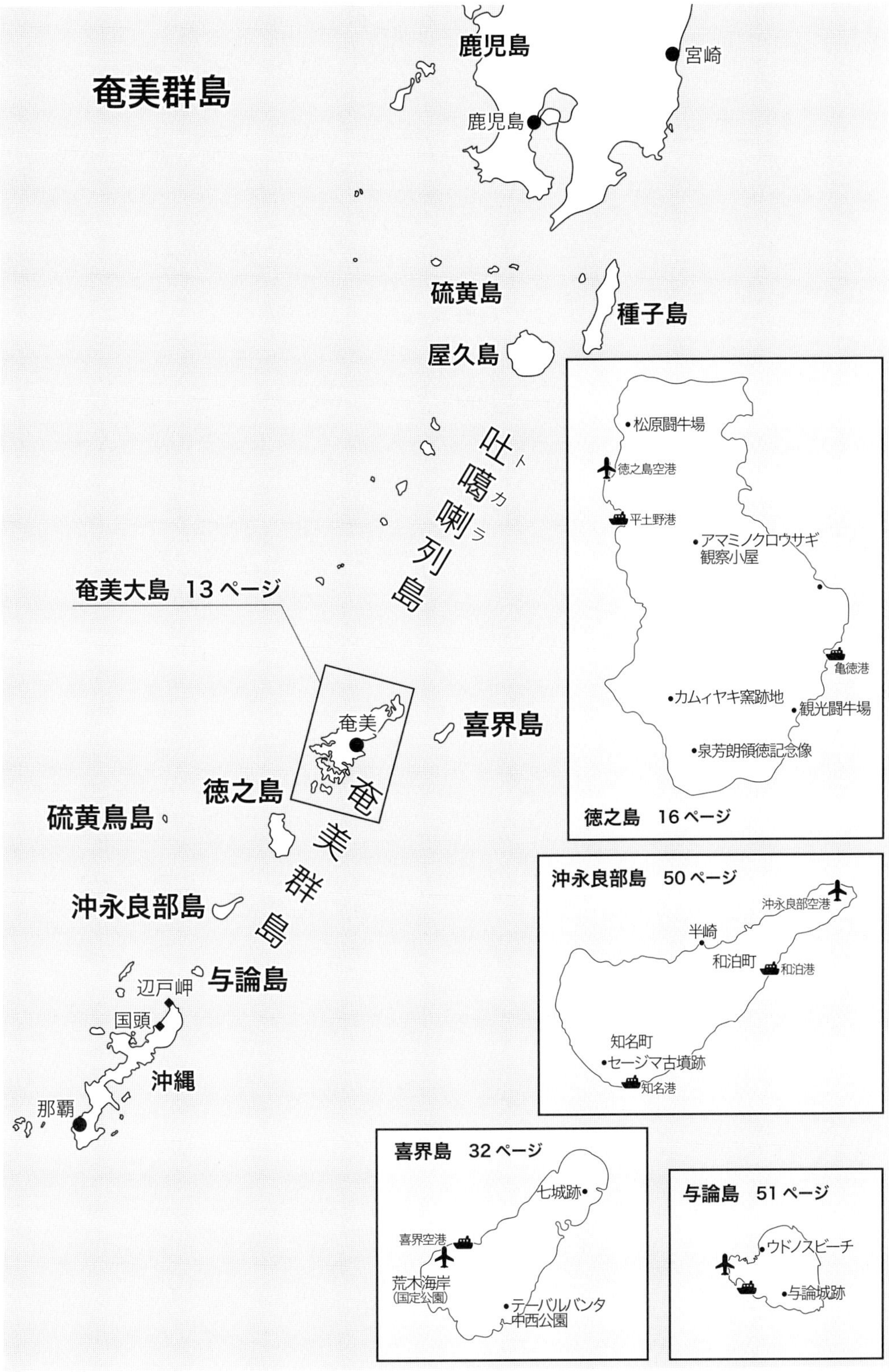

奄美群島
鹿児島
宮崎
鹿児島
硫黄島
種子島
屋久島
吐《ト》噶《カ》喇《ラ》列島
奄美大島 13ページ
奄美
喜界島
徳之島
硫黄鳥島
奄美群島
沖永良部島
与論島
辺戸岬
国頭
沖縄
那覇
松原闘牛場
徳之島空港
平土野港
アマミノクロウサギ観察小屋
亀徳港
カムィヤキ窯跡地
観光闘牛場
泉芳朗領徳記念像
徳之島 16ページ
沖永良部島 50ページ
沖永良部空港
半崎
和泊町
和泊港
知名町
セージマ古墳跡
知名港
喜界島 32ページ
七城跡
喜界空港
荒木海岸
(国定公園)
テーバルバンタ
中西公園
与論島 51ページ
ウドノスビーチ
与論城跡

Ⅰ　奄美に行こう

あなたは奄美群島に行ったことがありますか？　と問われれば、「ない」という人が多いだろう。「ある」と答えた人でも、奄美の島々すべてに行ったことのある人は、ほとんどいないのではないか。奄美群島は現在、行政上は鹿児島県大島郡となっているが、鹿児島県の本土地域に住んでいる人びとであっても、奄美群島に行ったことのある人は、おそらく少数派だ。

そのような読者の方々のために、ここでは奄美群島のごく基本的なことを紹介しておくことにしよう。奄美群島に何度も足を運んだことのある人は、読み飛ばしていただいてかまわない。

奄美群島は、鹿児島と沖縄のほぼ中間にあたる北緯二八度を軸に位置し、人口一〇万人あまり、総面積は約一二〇〇平方キロに及ぶ、すべて鹿児島県に属する島嶼《とうしょ》である。北の方から、奄美大島《あまみおおしま》（七一二平方キロ。「北方領土」を除く、日本で三番目に大きな離島）、喜界島《きかいじま》（五七平方キロ）、徳之島《とくのしま》（二四八平方キロ）、沖永良部島《おきのえらぶじま》（九四平方キロ）、与論島《よろんじま》（二〇平方キロ）という五つの島からなっているとよく言われるが、これは正確ではない。奄美大島の南側には加計呂麻島《かけろまじま》、さらにその南の海上には、請島《うけじま》、与路島《よろじま》という二つの島が浮かぶ。これら八つの島々が人びとが暮らしを営んでいる奄美群島内の有人離島《ゆうじんりとう》である。

このうち喜界島と与論島には、喜界町と与論町という一つの自治体、沖永良部島には和泊町《わどまりちょう》と知名町《ちなちょう》という二つの自治体、徳之島には徳之島町、天城町《あまぎちょう》、伊仙町《いせんちょう》という三つの自治体、そして奄美大島には奄美市、龍郷町《たつごうちょう》、瀬戸内町《せとうちちょう》（加計呂麻島、請島、与路島を含む）、大和村《やまとそん》、宇検村《うけんそん》の五つの自治体がある。以前はもっとたくさんの自治体があったのだが、昭和の大合併、平成の大合併を経て現在の自治体数に至っている。

「ヤマト」でなく、琉球でもない

奄美群島は、南の琉球王国と北の「ヤマト」に挟まれた地理的環境のため、数奇な運命を辿ってきた。一五世紀半ば以来長く琉球王国に帰属した奄美群島は、一六〇九年の島津氏による琉球侵攻により、琉球王国から切り離され、島津氏の直轄支配下に置かれた。大河ドラマ「西郷《せご》どん」で描かれたように、時代が江戸から明治へと変わろうとしていた幕末の変動期、西郷隆盛《さいごうたかもり》は、奄美大島、徳之島、そして沖永良部島への流謫《るたく》を強いられ、西郷の足跡を示す施設や記念碑が各島々にはある。西郷と奄美の島々との関わりもまた、島津による直轄支配を背景にしたものであった。

西郷どん 沖永良部ロケ地

明治維新以後はそのまま鹿児

泉芳朗記念像（提供：楠田哲久）

島県に帰属した奄美群島だったが、第二次世界大戦終了後間もなく、沖縄、小笠原とともに米軍の直接支配下に置かれた。米軍支配下の奄美は、経済的に困窮状態に追い込まれ、人びとは厳しい生活を強いられた。と同時に、この時期の奄美には、「アカツチ文化」と（さまざまな文芸誌の発刊や演劇、芸能など独自の文化的活動が盛んになり、「奄美ルネサンス」とも）呼ばれる、奄美独特の文化創出への息吹も垣間見られた。ヤマトと琉球の狭間に位置する奄美における、ヤマトでも琉球でもない奄美アイデンティティへの希求によるものだった。とは言え、米軍占領下の厳しい生活からの脱却を求める声は日に日に高まり、それは激しい復帰運動に結実した。運動のリーダーは、詩人であり名瀬市長を務めた泉芳朗《いずみほうろう》。復帰を求める署名運動には九九パーセントの住民が応じ、人びとの共感を広め多くの住民が加わった断食祈願により、泉は「奄美のガンジー」とまで呼ばれた。この復帰運動を通じて、一九五三年一二月、奄美はいち早く本土復帰を果たした。その背後には、復帰運動の影響が沖縄に及ぶことへのアメリカの危惧があり、軍事的利用価値が乏しい奄美群島を切り離すことにより、米軍の沖縄支配を確固たるものにしようという意図も含まれていた。

復帰後の奄美群島にとっての第一の課題は、米軍占領下の困窮状態からの脱却であり、それはやがて本土との格差の是正の主張に結びついていく。そのなかでもっとも大きな役割を果たしたのが、奄美群島復興特別措置法、それを引き継いだ奄美群島振興特別措置法、奄美群島振興開発特別措置法（例えば、港湾整備への補助率は内地の一〇分の四に対して、奄美では一〇分の九）である。この特別措置法により、学校の校舎は建て替えられ、道路が整備されていくなど、群島内のインフラ整備が進んでいった。これは同時に、そうした事業の展開のなかでの建設業の発展に結びつき、経済ばかりでなく地域の政治においても建設業界の影響力が強まっていくことになる。

復帰後の奄美に対するもうひとつの特別措置は、衆議院議員選挙における奄美群島区（定数一）の設置だった。定数三名から五名の中選挙区制を採用していた日本の衆議院議員選挙にあって、奄美群島区は唯一の小選挙区であった。奄美群島区での激しい選挙戦は、Ⅳ章でも触れるが、一九八〇年代の保徳戦争《やすとくせんそう》（法曹出身の二世議員で田中派に所属していた保岡興治《やすおかおきはる》と、徳洲会病院を立ち上げ医療界の風雲児と言われた徳田虎雄《とくだとらお》の争い）でピークに達する。それぞれの選挙陣営は、影響力のある集落の入

加計呂麻島にもある徳洲会病院

口にたいまつを灯し、見張り番を置いて相手陣営が集落に入らないようにし、飲み屋なども両陣営に色分けされたという。間違って相手陣営のお店に入っていこうものなら、大変なことになったそうだ。

二〇二三年には復帰七〇周年を迎える奄美群島であるが、この間、人口減少に歯止めがかからず、少子高齢化も進んでいる。二〇〇八年から二〇一八年の一〇年間での奄美群島の人口減少率は一三パーセントであり、全国平均の一・三パーセントを大きく上回る。かつての基幹産業のひとつであった紬産業は衰退した。そうしたなか、世界自然遺産登録に向けた作業が進み、東京からのLCC便の開設などの航空網の整備により、観光業は活気を帯び始めつつある（二〇二一年七月二六日に登録決定）。しかし、一方では、国による南西防衛構想の一環として、二〇一九年に奄美大島に陸上自衛隊（地対空・地対艦ミサイル部隊）の駐屯地が新設され、「国境」に近い島として、対中国の前線基地としての役割を担う軍事的な性格を帯びつつある。

奄美の歴史を駆け足でたどってきたが、奄美の魅力は、なんといっても、北の「ヤマト」と南の沖縄（琉球）の狭間にあることから、「ヤマト」でも沖縄でもない独特に育まれた文化と自然を有する点にある。しかも、その文化と自然は、島々によってそれぞれの個性を伴ってもいる。

例えば、島唄。島唄は「シマ唄」とも呼ばれるように、奄美群島内の「シマ」＝集落を基盤として、つまり「シマ」＝集落の人びとの暮らしと密接不可分なかたちで歌い継がれてきたものである。古くから歌い継がれてきたものもあれば、戦後になって新しく作られたものもある。何か催し事があると、必ずと言っていいほど、島唄が奏でられ歌われる。興味深いのは、奄美群島のなかでも、徳之島以北はヤマトの民謡の影響を、沖永良部島、与論島の南二島は琉球民謡の影響を受けており、音階が大きく異なっていることである。さらに、それぞれの島、さらには集落によっても差異があるとも言われる。奄美群島の島唄は多様性に富んだ世界なのだ。

浜うり・唄あしび（提供：南海日日新聞社）

北の「ヤマト」からの流れと南の琉球からの流れが相接し、時には入り混じるのは、自然の世界でも同様であり、奄美を北限あるいは南限としたり、奄美群島にしか棲息しない生き物も多い。奄美の固有種のなかでもっとも有名なのは、世界遺産登録で一躍、脚光を浴びているアマミノクロウサギだろうが、環境省の奄美野生生物保護センターのホームページでは、アマミノクロウサギを含む奄美の生き物たちがわかりやすく紹介されているので、ぜひ一度ご覧いただきたい。このような奄美群島が有する独特の多様性に富んだ貴重な自然は、世界自然遺産の登録でますます注目されるだろう。

魅力ある奄美のひとと文化

　ここで、奄美群島に関わりのある著名人に目を向けてみよう。徳之島は、第四六代横綱・朝潮《あさしお》の出身地である。彼は、占領下の奄美から親戚を頼って密航し相撲部屋に入門している。朝潮と入れ替わるように横綱になり、やがて「巨人・大鵬《たいほう》・玉子焼き」と言われるほどの黄金期を築いたのが大鵬だった。彼は、戦前日本の領土であった南樺太《みなみからふと》に生まれ、引き揚げ船に乗って北海道に渡ってきた。戦後の混乱期を、それぞれ南と北の境界地域で経験したという点で、二人の横綱には共通するものがあると言えるだろう。同じ徳之島出身の力士には「南海のハブ」と呼ばれた旭道山《きょくどうざん》もいる。実は、奄美群島のほとんどの小中学校の校庭には土俵が設けられている。旅行で街中をブラリと歩けば、小中学校は必ず目に入ると思う。その際に校庭をぐるりと見渡してみてほしい。そこにはきっと土俵があるはずだ。

朝潮の銅像

　奄美出身者ではないが、奄美に暮らし奄美をこよなく愛した二人の著名人を紹介しておこう。一人は、画家の田中一村《たなかいっそん》。栃木県生まれの一村は、一九五八年に奄美に移り住み、奄美の自然を題材にした日本画を描き続けた。彼の作品は、奄美空港の近くにある奄美パークに併設されている田中一村記念美術館で見ることができる。ぜひ、彼の絵が醸し出す独特な雰囲気をじっくりと味わってみてほしい。

　もう一人の人物は、作家・島尾敏雄《しまおとしお》である。彼のもっとも有名な作品は『死の棘』であるが、この小説世界とその背後にある敏雄・ミホの関係については、梯久美子《かけはしくみこ》『狂う女』をぜひお読みいただきたい。島尾は、一九五五年に家族で名瀬に移住し、約二〇年間この地で暮らした。移住からしばらくして、鹿児島県立図書館奄美分館の館長を務め、また、奄美郷土研究会の立ち上げとその後の活動にも関与した。奄美に残された独特の文化に触れた島尾は、琉球列島からさらに南方へと連なる「ヤポネシア」の着想を得、それは民俗学や国家論に影響を及ぼしていった。

　一村と島尾は実在した人物であるが、奄美に関わるもう一人の架空の人物にも登場してもらおう。車寅次郎《くるまとらじろう》である。そう。シリーズ物の映画として最多回数を誇りギネスにも載った「フーテンの寅さん」で渥美清《あつみきよし》が演じた主人公である。寅さんシリーズの最終作・第四八作は「紅の花」、マドンナ役の浅丘《あさおか》ルリ子が演じたのはリリー。浅丘が演じるリリーと寅が再会した地が

加計呂麻フェリー乗り場

リリーの家

加計呂麻島だった。加計呂麻島は、島尾が特攻隊の隊長として戦争末期の日々を送った地であり、ミホと出会った地でもある。照りつける陽射し、穏やかな海、ゆったりとした時の流れを残すこの島で、寅とリリーは、そして、ガンとの闘いのなかで最後の力を振り絞って寅さんを演じた渥美清は、なにを思ったのであろうか。加計呂麻島の海辺を散策しながら、こうした空想をめぐらせてみてはどうだろうか。

　余談になるが、「奄美の寅さん」なる人物が実在する。その人の名は花井恒三《はないこうぞう》さん。運がよければ、このお節介好きでユニークな人物から知られざる奄美の世界を案内してもらえるかもしれない。

花井恒三さん

　次に奄美の代表的な食を紹介しておこう。奄美の食で観光客にも知られているのは鶏飯《けいはん》だろう。ご飯の上に細く裂いた鶏肉、錦糸卵、干し椎茸などの食材をのせ、鶏ガラスープをかけて食べる。スープの味はお店によって微妙に異なり、食べ比べてみるのもいいだろう。

鶏飯（提供：熊華磊）

　そしてもう一つは黒糖焼酎。焼酎には、芋、米、麦などいくつかの種類があるが、黒糖焼酎を作っているのは奄美だけ。かつて薩摩藩による搾取の手段として用いられたこともある黒糖であるが、現在でも島を巡るとあちこちにさとうきび畑が点在し、島の主要産物のひとつとなっている。その黒糖を用いた黒糖焼酎は、鹿児島県本土のいも焼酎とは一味も二味も異なる。いも焼酎の主な飲み方がお湯割りなのに対して、黒糖焼酎の方はロックか水割りだ。もちろん、群島内には幾つもの醸造元があり、味も香りもそれぞれだ。

　次に取り上げるのは、奄美の伝統的な産業、大島紬《おおしまつむぎ》。日本人の着物離れが進み、また安価な着物が流通するなかで、大島紬の生産量、販売量は減少し続けている。泥染に始まり、手作業によって細かく織り込んでいく工程ゆえに、大島紬の価格は決して安いとは言えない。しかし、深みのある色彩ときめ細やかな柄により、気品があり落ち着きのある雰囲気を醸し出す。奄美の人びとの間で

大島紬

は親から子、子から孫へと三代にわたり大島紬の着物が着継がれていくという。大島紬の着物はしっかりとしていて着崩れしないのだそうだ。

こだわり観光案内

奄美群島にちょっとでも興味を持ったあなたが、各島々を巡った際に触れてみることができればと思うものをいくつか紹介してみよう。もちろん、それぞれの島々には見どころはたくさんあるし、観光ガイドブックやインターネットで様々な情報も得られる。ここで取り上げるのは、ちょっと変わり種のものや筆者が強くこだわっているものを中心とした、その意味でかなり偏った案内である。

まずは喜界島。天気の良い日は奄美空港から肉眼ではっきりと見える近さだ。この島でまずお勧めしたいのは黒糖焼酎。小さな島に二つの焼酎工場がある。ひとつは朝日酒造、もうひとつは喜界島酒造。それぞれの代表銘柄「朝日」と「喜界島」を飲み比べてみるのもいいだろう。ガイドブックには載っていない見どころのひとつは、自衛隊喜界島通信所だ。ここには通信傍受施設、通称「象のオリ」がある。一九八五年に計画が発表され二〇〇六年に運用開始となったが、その間、長年にわたる反対運動が繰り広げられた施設でもある。

朝日

次は群島最大の島である奄美大島だ。この島の中心都市であり群島全体の行政・経済の中心でもある奄美市名瀬。街中にある屋仁川《やにがわ》通りは、離島の小都市とは不釣り合いなほどの賑わいを見せる。名瀬から南に下った大島南端に古仁屋《こにや》の町がある。眼前には美しい大島海峡が広がる。その先の加計呂麻島呑之浦《のみのうら》には島尾敏雄文学碑がある（名瀬にも文学碑があり、島尾の県立図書館奄美分館長時代の宿舎が保存されている）。また、芝集落には、ロシア文学者として厖大《ぼうだい》な著作・訳書を残し、『大奄美史』の著者でもある昇曙夢《のぼりしょむ》の胸像がある。さらに加計呂麻島ではもう一つ、旧日本軍が構築した要塞を残す安脚場《あんきゃば》戦跡公園にも足を運んでみてほしい。

喜界島通信所

奄美大島の南にある徳之島は、奄美群島では二番目の面積と人口を有する島。復帰運動の指導者・泉芳朗の像があるのは伊仙町。同町にはドーム型の闘牛場もある。夕方になると島内のあちこちで闘牛用の牛を散歩させているのを見かける。これも徳之島ならではの光景だろう。横綱朝潮の像があるのは徳之島町。そして天城町には特攻隊機が中継基地として利用した陸軍浅間飛行場滑走路跡がある。さらに、中世の東アジアの人・文化・モノの往来を

焼酎にあう！夜光貝

伝える国史跡・カムィヤキ陶器窯跡を訪ねてみるのもいいだろう。

エラブユリなどの花の島として有名な沖永良部島。西郷隆盛が流されてきたこの島には、西郷南洲《なんしゅう》神社や西郷南洲記念館などが和泊町にある。西郷南洲記念館の西郷像は、格子牢のなかで座禅をくむ西郷さんであり、東京上野、鹿児島市にそれぞれある西郷像とはまた異なる雰囲気を醸し出している。黒糖焼酎酒造所としては和泊町に沖永良部酒造（三つの製造蔵元の共同瓶詰販売会社）、そして知名町には新納酒造《にいろしゅぞう》と原田酒造の二軒がある。バラエティに富んだ沖永良部の黒糖焼酎を飲みながら、この島の歴史や風土に思いを巡らせるのもいいだろう。

最後は、奄美群島最南端の与論島だ。この島からは明治期に九州の炭鉱地帯への集団移住が行われ、第二次世界大戦末期には満州への開拓移民が行われた（コラム「島を出た人々の話」）。この満州開拓団の慰霊碑が立っている与論城跡に出かけてみよう。かつての琉球王国とのつながりや近代におけるこの島の人びとの苦難について想像を膨らませてみてはどうか。そして、本ブックレットの読者であれば必見のビューポイントが沖縄返還記念碑。碑の前に広がる海、その先の辺戸岬《へどみさき》へと視点を動かしてみよう。かつてこの海上には人びとを隔てていた「国境」（北緯二七度線）があったのだ。

カムィヤキ（奄美博物館所蔵）

ここまで、奄美群島についてあれこれと紹介してきたが、この島々が有する世界のごく一部分を、しかもかなり表層的に言及したに過ぎない（ノロ・ユタのような信仰・祭祀や方言など触れなかったことも多い）。これらの表層の下には幾重もの世界が、そして島々により、さらには「シマ」（集落）により異なる多様性に富む世界が、存在しているはずだ。このような独自の自然、文化、社会が育まれた背景には、この地域がヤマトと琉球（沖縄）の狭間に位置し、しかも、国境という境界線が何度も移動するという歴史的経験があるのだろう。単純な理解を許さない複雑に絡み合った諸相こそが奄美群島の魅力なのだろう。奄美群島に渡り、歩き、人びとと接するなかで、あなた自身の五感を通して、この島々が育んできた世界を発見してみてほしい。

（平井一臣）

徳之島ソテツ

奄美大島

N
大島奉行所跡
（薩摩藩の行政機構）
歴史民俗
資料館
屋仁
601
笠利
奄美市
602
赤木名
奄美市笠利総合支所
安木屋場
奄美空港
58
和野
西郷南洲流謫跡
82
龍郷町
龍郷町役場
81
奄美博物館
名瀬
戸口
鹿児島大学国際島嶼
教育研究センター奄美分室
奄美市役所
大島支庁
奄美大島
島尾敏雄文学碑・旧居
本場奄美大島紬
泥染公園
奄美市
大和村役場
大棚
奄美野生生物
保護センター
58
金作原《きんさくばる》原生林
大和村
奄美市住用《すみよう》総合支所
マングローブ原生林
宇検村役場
宇検村
山間
対馬丸慰霊碑
79
湯湾
久志
79
85
枝手久島
627
612
嘉徳
58
瀬戸内町
西古見
627
旧陸軍弾薬庫跡
昇曙夢胸像
瀬戸内町役場
614
626
古仁屋
瀬武
安脚場戦跡地
加計呂麻島
生間
瀬相
島尾敏雄文学碑
「男はつらいよ」ロケ地
諸鈍
伊子茂
西阿室
請阿室
池地
与路
請島
与路島

コラム

島嶼《とうしょ》研究の場としての奄美群島

世界では気候変動に伴う地球規模の自然環境変化と、それに伴う生態系への影響が懸念されている。また経済のグローバル化に見られるように、経済や社会の問題も瞬時に世界中に波及している。このような自然や社会環境の変動「環境変動」のうねりが、他地域に比べても強く小島嶼に大きな影響を及ぼしていることは、海水面の上昇が国土存亡の危機につながりつつある南太平洋島嶼国の例からも明らかである。

小さな島には脆弱性《ぜいじゃくせい》、環海性《かんかいせい》、狭小性《きょうしょうせい》などの特徴があり、この特徴は棲息するすべての生き物やその環境に強く影響を与えている。このような特徴を持つ島には小さく脆弱な空間が多く存在し、その環境に適応した生物は固有で希少な生物として棲息している。ダーウィンは、こうした島々での生物の固有性に注目し進化論を唱えた。また島に生活する人びとも狭小な生活空間に適応した結果、特色ある文化や生活様式を作り上げている。国内のいくつかの島はその希少性と多様性が評価され、世界文化遺産や世界自然遺産等に登録されている。

島は海に囲まれ、その小さな空間に自然や社会・人文環境が小さなシステム（系）として存在しているので、「ひとつの世界」を形成していると考えることができる。そのため、変動する諸現象の関係をより単純に考察できる研究の場とも考えられる。このことから、世界が抱えるさまざまな環境変動に対する影響を推察し、その適応策を提言する場所として島嶼は最適な地域と言える。

この環境変動への解決策研究に寄与する学問として「新しい島嶼学」を提案する。これは、島の環境（自然環境、人文社会環境）をひとつの系として捉え、多様な学問分野を融合させることで、島の変遷メカニズムと環境変動との関係を解明し、その適応策を科学的に研究するものである。そして、島嶼における持続可能な社会構築と生物・文化の多様性保全を確立し、ＳＤＧｓ（持続可能な開発目標）達成の島嶼モデル構築を目指している。

奄美群島を含む南西諸島はさまざまな環境変動をすでに経験した地域と仮定できる。長い地球の歴史のなかで温暖期と寒冷期を繰り返し海面の高さが変動したことにより、この地域は大陸になったり島になったりしてきた地域であり、将来予想される気候変動の影響をすでに経験したと言える。また奄美群島はヤマトと琉球文化の影響を受けながら、「海上の道」として古代からグローバリゼーションを経験した地域である。このように奄美群島はさまざまな変動の影響を受けながらも、文化や自然の高い多様性を有する島々であり、この「新しい島嶼学」を研究するためには最適な場所といえる。

アマミノクロウサギ（提供：森直弘）

ひとつの例を考えてみたい。奄美群島を代表する生き物のひとつにアマミノクロウサギがいる。かつてアマミノクロウサギは大陸まで広く分布していたが、何度も繰り返されてきた気候変動により、大陸に棲息していたウサギは寒冷化した期間に絶滅してしまった。一方、暖流黒潮が近くを流れている奄美群島のウサギは生き残ることができた。そのため、現在は世界のなかでも奄美大島と徳之島だけに棲息している。

一九七〇年代にハブを退治する目的で奄美大島に放たれたマングースは、ハブよりも簡単に捕まえることができるアマミノクロウサギなどを捕食した。また人が飼っていた家猫が山に入り野生化しノネコとなり、マングースと同じようにアマミノクロウサギなどを捕食してしまった。これらによりウサギの個体数は激減した。しかし、移入種となったマングースは保全対策を進めるグループ・マングースバスターズの努力によりほとんどが駆除され、ノネコにおいてもその対策は進みつつある。このような保全策のおかげでアマミノクロウサギの個体数が増えてきたが、その反面で新たな問題が発生している。

マングース

個体数が増えたことによりその分布域が拡がったため、人の生活空間との接触が増えている。希少生物を観察しようとする観光客の車が増加し、その車にひかれる「ロードキル」が多発してきた。また果樹タンカン農場に近づき、タンカンへの食害を起こし始めている。これらへの対策として、安全運転の告知やアマミノクロウサギに特化した柵を農場に設置するなどの対策をとりつつある。一方、食物連鎖の影響でアマミノクロウサギ等の哺乳類に微量元素が蓄積しているという報告もなされている。

このようにアマミノクロウサギという奄美を象徴する生物一種だけに注目しても、歴史的に気候変動の影響を受けながら、観光、移入種、農業、汚染、保全等の事象と複雑に関わりを持っていることがわかる。このようにさまざまな学問分野との関わりがあるため、その問題解決や考察する時はひとつの事象に注目するだけでなく、関連する事象の相互関係を考慮し、関連するシステムのバランスを考える必要がある。

またアマミノクロウサギにはもうひとつの重要な特徴がある。アマミノクロウサギの生息域が奄美大島と徳之島の中でも狭い空間（分布域）に生息しているために、広い空間に比べ、一層少数の要因が関わっているといえる。そのため、大きな空間では明確になりにくい直接的、間接的な相互関係が明確になりやすく、その解決策も策定しやすい。現在、奄美大島ではアマミノクロウサギを保全しながら人との「共生」のあり方を探る多くの取り組みが相互に連携を取りながら進みつつある。今後のこれらの試みの成功を期待したい。

このように、奄美群島は環境変動に対して脆弱な環境であるが、その特徴を生かすことで、現在の世界的課題を研究することができる最適なフィールドと言える。

（河合渓）

徳之島

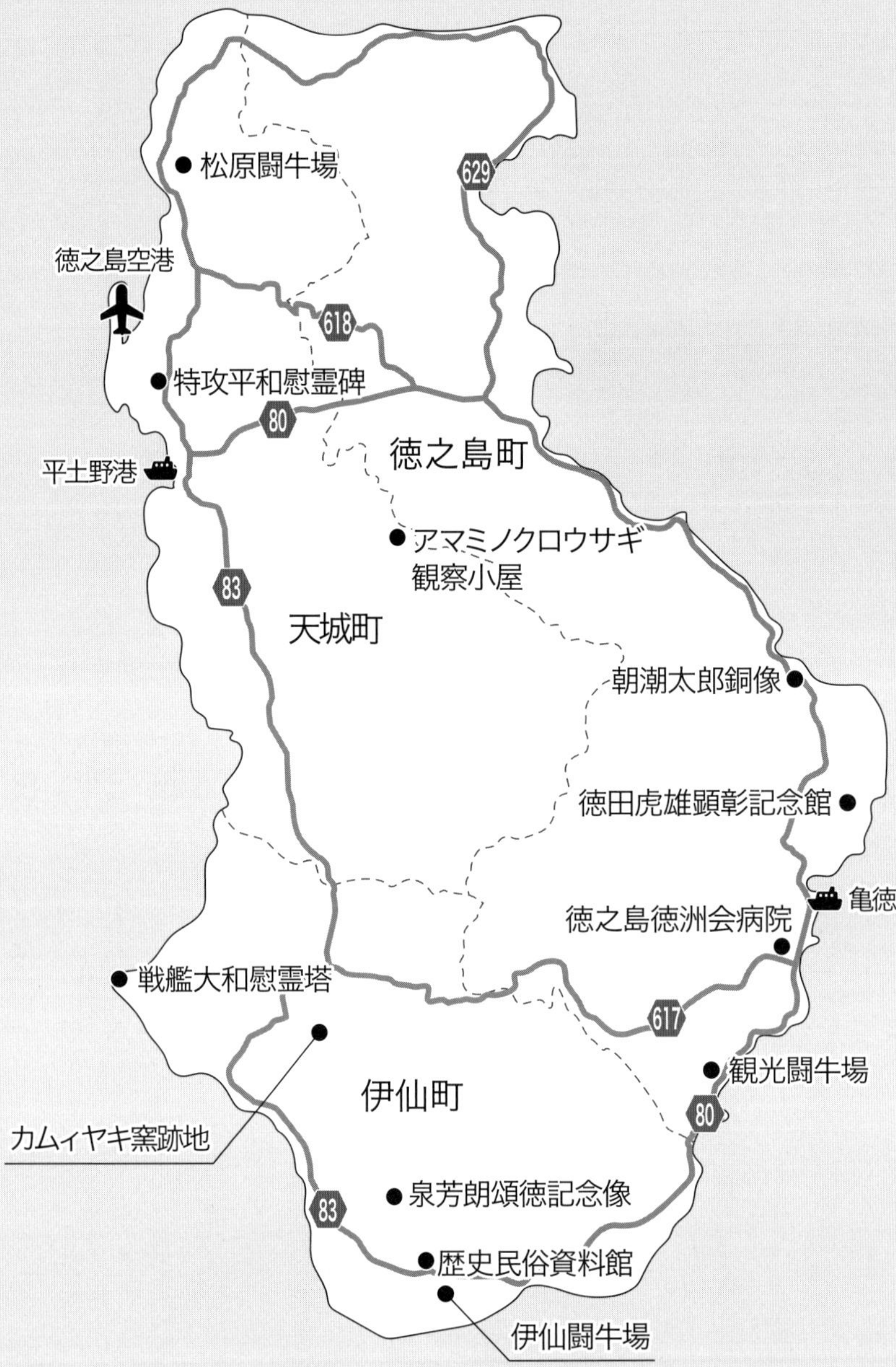

松原闘牛場
629
徳之島空港
618
特攻平和慰霊碑
80
平土野港
徳之島町
アマミノクロウサギ
観察小屋
83
天城町
朝潮太郎銅像
徳田虎雄顕彰記念館
亀徳港
徳之島徳洲会病院
戦艦大和慰霊塔
617
観光闘牛場
伊仙町
80
カムィヤキ窯跡地
泉芳朗頌徳記念像
83
歴史民俗資料館
伊仙闘牛場

コラム

闘牛と徳之島

闘牛という視点

牛同士が闘う闘牛は、日本をはじめとして、韓国、中国、東南アジア、パキスタン、トルコ、東欧まで広範な地域で見られる。日本で現在闘牛が見られるのは、南から沖縄（うるま市）、鹿児島（徳之島町、伊仙町、天城町）、愛媛（宇和島市《うわじまし》）、島根（隠岐の島《おきのしま》町）、新潟（小千谷市《おぢやし》、長岡市）、岩手（久慈市《くじし》）の六県九市町である。なかでも現在もっとも盛んなのが沖縄、鹿児島、愛媛の三県で、とりわけ徳之島は「闘牛の島」として知られる。闘牛は、「周縁」に位置するローカルな地域社会のありようについて、ボーダー（境界）を超えて人・モノ・カネ・情報が行きかう「ローカルネットワーク」という視点を提示してくれる。

徳之島の闘牛

徳之島では闘牛のことを「ナグサミ（慰み）」または「ウシオーシ」、「牛トロシ」と呼び、藩政時代から闘牛大会があり、農民が税を完納できた収穫の喜びを祝って「慰み」として行われた。もともと農耕用に使われていた牛が角を突き合わせて喧嘩するのを見て、牛主たちが意図的に闘わせたのが始まりだという。

闘牛は、戦前は奄美諸島全域で行われていたが、戦後になると徳之島だけに残った。一九四八（昭和二三）年に徳之島闘牛組合が設立され、このときから大会毎に入場料を取り、牛主へ出場料を出すなど営利目的の興行として行われ、戦歴によって番付も決められるようになった。一九六七（昭和四二）年、徳之島町、伊仙町、天城町の三町に闘牛協会が組織され、これらの協会をまとめる団体として「徳之島闘牛連合会」が作られた。そして、三町の闘牛協会の持ち回りで「全島一闘牛大会」が興行として定期的に開催されるようになった。

徳之島では、伝説の名牛の存在が多くの闘牛ファンを惹きつけてきた。昭和二〇年代、徳之島町手々の「山田牛」や天城町浅間の「上岡牛」などが知られるが、徳之島の闘牛史において最強の闘牛は徳之島町亀津《かめつ》の「実熊牛《さねくまうし》」で、四四戦四二勝一敗一分の金字塔を打ち立てて「神様の牛」と称された。一九五四（昭和二九）年九月に初代全島一横綱の座に就くと、一九六一（昭和三六）年一月まで一四度の防衛を果たし、全島一優勝回数一六回はその後も破られることなく今に至る。

現在、一年を通して闘牛大会が十数回開催されているが、全島一大会は正月、五月、一〇月の年三回開催される。闘牛場は屋外闘牛場から全天候型のドーム闘牛場まで七カ所あり、三千人以上が収容可能である。観戦

徳之島の闘牛場

料は大人三千円、小人（中学生以下）千円となっている。

闘牛としてデビューするのは四歳前後が多く、横綱級は七～九歳で、一二才位で引退する。闘牛大会では七〇〇キログラム台の小型牛から一トンを超える大型牛までが、直径約二〇メートルのリング内を所狭しとぶつかり合い、突き技や角掛け、速攻など技の応酬を繰り広げる。

試合の前日は、夕方から親戚、友人、知人がお祝いを持って牛主の家に集まる。試合当日は、先祖の仏壇に必勝祈願をし、牛の角に酒と塩をかけ、出陣の儀式を行う。入場の際には、牛主もしくは勢子《せこ》が綱を引き、露払《つゆはら》いが塩を撒き、太鼓やラッパの音と「ワイド！　ワイド！」の掛け声が闘牛場まで続く。対戦が始まると、勢子《せこ》が牛と一体となって愛牛を叱咤激励し、その一挙手一投足に会場の視線が集まる。闘牛の勝敗は、相手が逃げた時点で決まる。早い勝負で数秒、長引くと数時間闘うこともあったが、最近は二五～三〇分と制限時間を設け、勝敗が決しそうにない場合は引き分けとしている。勝ちが決まった瞬間、一族郎党が場内になだれ込み、勝牛に飛び乗り、手舞い足舞い、指笛、太鼓、ラッパの音を鳴り響かせて歓喜し、牛主は場内を意気揚々と勝牛を一周させる。

闘牛の地域性

徳之島の闘牛は、県や町などの行政の援助もなく、隠岐や新潟の闘牛のように無形文化財でもなく、闘牛好きな有志たちの活動だけで成りたっている。また、闘牛の観光化にもそれほど熱心ではない。主催目的が同窓生の記念行事や厄払い行事として開催する大会も多く、正月、五月の連休、八月のお盆などの帰省客が多い時期に合わせて大会が催されるため、観光客よりも帰省客に楽しんでもらおうという意図が強く感じられる。大都市圏に近い宇和島やマスツーリズムが定着している沖縄と違って観光客の集客力が極めて小さく、島民の生計は農業を基盤としているため、徳之島の闘牛はむしろ社会的成功、娯楽、賭博といった要素が強く、なにかと勝敗に固執することも多い。

闘牛モニュメント

さらに、徳之島では、闘牛大会が島の経済構造や生活のリズムと深く関係している。島の主たる生業はサトウキビの生産で、伐採が始まる一二月から製糖期間が終了する四月末までが闘牛のオフシーズンとなり、シーズン初めの五月には早速、労働の疲れを慰撫《いぶ》するかのように闘牛大会が開催される。年中行事や学校行事なども闘牛大会の日程に配慮して行われている。

闘牛ネットワーク

二〇〇四（平成一六）年一〇月二三日の新潟中越地震で被災した山古志村《やまこしむら》から徳之島に引き取られた闘牛が、翌年五月には闘牛大会に新潟代表として登場し話題になった。このことから、これら闘牛の盛んな地域同士の間に緊密な「闘牛ネットワーク」が存在することがわかる。この「闘牛ネットワーク」は、かつてはローカルな地域社会内部の民俗的慣行に過ぎなかった闘牛が、今日、牛、人、情報など闘牛を取り巻くさまざまな要素において相互に直接的に結びつくことによって成り立つ「周辺—周辺」ネットワークと言うことができる。

闘牛用の牛は、昔は島内産が多く占めていたが、最近は、沖縄、八重山、新潟、岩手、宇和島などから導入している。また、徳之島の勝利牛は沖縄にトレードされた例が多く、試合を数回行ったのちに再び徳之島に戻ることもある。このような牛主の個人的なネットワークとは別に、一九九八（平成一〇）年に発足した「闘牛サミット」は闘牛開催地間の闘牛ネットワークである。その目的は、闘牛の伝統文化を有する市町村が一堂に会し、闘牛文化の保存・伝承と相互の交流、親善を深めるとともに、地域資源として活用を図るための交流である。闘牛サミットは、六県の闘牛開催地が毎年ローテーションで主催地となり、闘牛関係者や政治家、行政関係者も一堂に集めて祝祭的パフォーマンスを行うことにより、闘牛開催地間のローカルネットワークを強化する機能を果たす。二〇〇五（平成一七）年五月三日に徳之島闘牛連合会が主催して伊仙町で開催された「第八回全国闘牛サミット」には、韓国の闘牛開催地の慶尚北道清道郡《けいしょうほくどうチョンドぐん》からも議会議長一行が参加した。今や闘牛は国境を超えて民間主導で国際交流の促進にも大きく貢献しつつある。

闘牛日本一決定戦（提供：南海日日新聞社）

グローカル化と闘牛

現在の闘牛の開催地と生産地は、主に、離島・僻地・農村といった周縁的な地域であり、そのような地域同士が人や牛や情報の直接交流を行い、ひいては「全国闘牛サミット」のような交流の新たな展開を見せている。こうした事実は、闘牛に関係する地域間の交流の性格が、近代化・都市化によりこれまで支配的だった「中心—周辺」あるいは「中央—地方」といった二項対立的なものではなく、周辺同士が中央を介さずに直接結びついて形成された「周辺—周辺」ネットワーク的なものであり、これこそが、まさに情報化・グローバル化の時代のひとつの新しい地域社会のあり方を示していると言える。また、闘牛開催地同士に見られるネットワークは、「中央」の介在を必要せず周辺同士が対等に関係しあい、双方が活性化しあうという特徴を有することから、闘牛における「周辺—周辺」ネットワークは、「周辺の主体化」あるいは「グローカル化」のバロメーターであり、グローバル化へのひとつの新たな入り口とみることもできよう。

（桑原季雄）

Ⅱ 「境界領域」としての奄美史

はじめに

日本列島の南北に広がる周縁地域の歴史は、いわゆる教科書に描かれている「日本史」とはいささか異なる軌跡をたどっている。およそ二五〇〇キロも離れた南と北の地域は、それぞれ亜寒帯と亜熱帯という自然環境に置かれているが、いずれも前近代までは「日本」そのものではなく、「日本」という国家に隣接してきた地域だという点で共通点を持つ。

列島を一様に覆うと言説化された日本文化地域に、実際には異文化の地域が隣接するといった構造の端緒は、弥生時代における稲作農耕文化の伝播に由来する。稲作農耕文化が定着した地域の南北周縁は、続く古墳時代に、墳墓築造の文化が伝播していく段階で、非古墳文化地域へと転化していく。この列島における地域的構造をもとに、七世紀に入るといわゆる「日本」と呼ばれる国家が誕生する。歴史の針を一挙に進めれば、この周縁地域は、明治時代に「廃藩置県」が実施され、列島全域が近代国家の統治領域に組み込まれるまで、あくまで「日本」に隣接する異域として位置づけられていた。

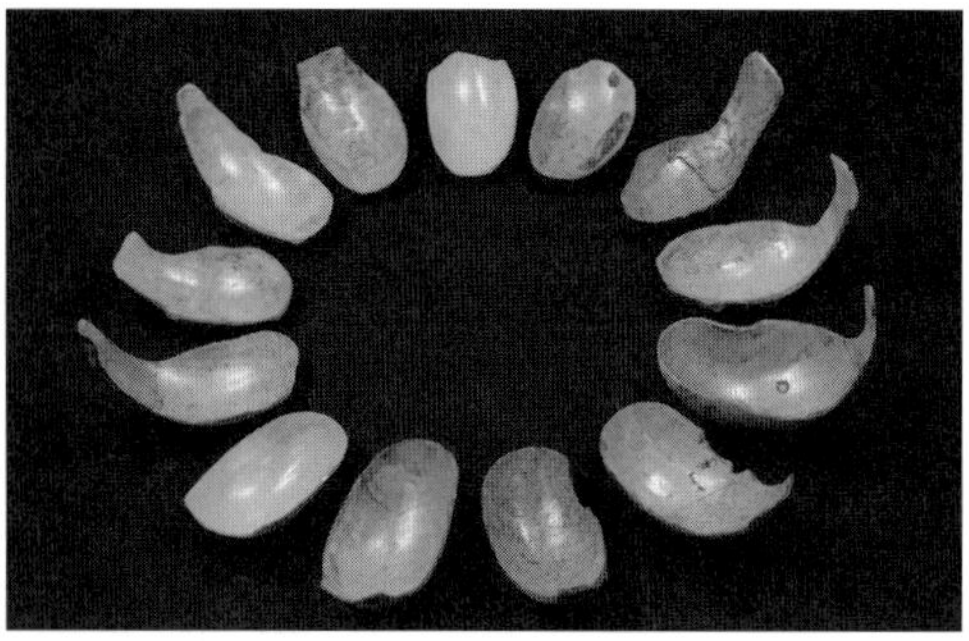

亜熱帯特有の大型貝製品
（国重要文化財小湊フワガネク遺跡出土品）

このような周縁地域に関わる歴史的な把握は、戦後の高度経済成長期となる一九六〇年代から七〇年代にかけて、弥生文化、古墳文化の列島的様相の考古学上の解明に伴い、明らかにされていった。歴史学界においても、北海道における「続縄文文化」や「擦文文化」、沖縄における「貝塚文化」として認識が共有されていくが、一九八〇年代にかけては、文献史学の分野を中心に、国家の側から列島周縁を「境界領域」とみなす地域社会分析が進められてきた※。

列島南北の境界領域について言えば、北縁の「ソトガハマ」（津軽半島）、南縁の「キカイガシマ」の研究がそれぞれに展開されていく。ただ長らくキカイガシマについては、ソトガハマに関する古代・中世の文献史学・考古学研究と比べ、具体的証左となる資料が十分ではなかった。この状況を一変させたのが、二〇〇三年に喜界島で発見された城久《ぐすく》遺跡《いせき》（九州から南漸した集団が関与したと考えられる平安時代から鎌倉時代を中心とする遺跡）である。以後、この地域に関する調査研究は劇的な進展を遂げ、境界領域としての様相が鮮明に浮かび上がってきた（高梨、池田、村井、鈴木の文献など）。南西諸島北半に位置する（鹿児島県側の）島嶼、

※文献史学側の研究成果については、全国的な政権としての鎌倉幕府の成立は、列島東西の境界領域を軍事行動（鬼界島合戦、奥州合戦）で掌握した結果とみなす入間田宣夫、列島北縁の「外が浜」から中世国家の境界領域に論及した大石直正、浄穢思想から中世国家の空間構造をモデル化した村井章介らの仕事（参考文献）を参照されたい。

つまり薩南諸島を境界領域とする論議は今、琉球史のみならず日本史そのものの新たな理解に貢献し始めている。

実は文献史学が列島の南北を対比的に把握し始めた一〇年以上も前、列島を俯瞰し、この観点から日本史や奄美史を考えた人物が奄美大島にいた。小説家として知られる島尾敏雄である。

島尾敏雄の歴史学的視点

作家・島尾敏雄に関してはⅠでも触れられており、ここでは省略するが、島尾は、日本列島を「ひとつの島嶼」とみなし、「ヤポネシア」という造語を発案することで、比較史的な視点を縦横にめぐらせながら、新たな日本像を描こうとした。

島尾の「ヤポネシア論」ができあがったのは、名瀬在住時代の奄美であった。「ヤポネシア論」を知るために、名瀬在住時代の島尾の郷土研究に目を向けてみよう。ここでの考察の手がかりは、当時、島尾が書いた約一七〇編の非小説作品群のなかに残されている。

（一）島尾敏雄と奄美史

一九五五（昭和三〇）年に奄美大島名瀬市に転住した島尾は、翌年から鹿児島県立大島高等学校、鹿児島県立大島実業高等学校定時制の非常勤講師を務め、日本史の教鞭をとる。その折、島尾は『鹿児島県史』から奄美関係史料の抜粋を行い、参考資料として『郷土史「奄美の歴史」日本史学習教材（鹿児島県史抜粋）』を作成した。

一九五七（昭和三二）年、島尾は「『大島代官記』について――私の奄美史研究の端緒」を発表し、奄美史研究の現状を述べ、旧来の先行研究では『鹿児島県史』の抜粋に依拠せざるを得ず、史料不足による実証的事実の乏しさなど奄美史を独自に把握することは難しく、奄美史研究の課題は、まず史料の発掘から始められなければならないことを指摘している。

一九五九（昭和三四）年に発表された「アマミと呼ばれる島々」では、「『アマミ』のことを知るためには、この地帯だけをいじくっていたのではもう一つ、窓のひらけた洞察ができないような気がします。（中略）さらに頭の中に常に太平洋を考えていないと、袋小路にはいりこんでしまいそうです」と述べ、「ヤポネシア論」の端緒的視点がここに見出せる。

この時期は奄美群島の日本復帰（一九五三年）後にあたり、一九五五（昭和三〇）年から「九学会連合」による「奄美大島共同調査」が実施されるなど、いわゆる国内の研究「処女地」探訪として学術研究が活発になり始めていた。「最近は、考古学、言語学、民俗学そしてさらに明治維新史などの分野において、この地帯の比重が急に高まってきているのです」とも記述しており、島尾の高まる期待も感じられる。

島尾敏雄の著作から

一九六〇（昭和三五）年に公表された「悲しき南島地帯」になると、「古文書などについても、挨拶として言うときには、アマミにはそれが残されていないことを口にするのだが、しかしそれも不安定な状態ではあるがかなり散在していることに確かめを持つことができるようになった」と述べる。つまり、島尾はこの段階で、奄美群島のあちこちに史料が残されている事実を確認していた様子が伝わってくる。

島尾が奄美に暮らし始めた昭和三〇年代は、前述した九学会連合による奄美大島共同調査はもとより群島での学術研究が展開し始めた頃であった。その少し前、一九五二（昭和二七）年には、柳田國男《やなぎだくにお》が『海上の道』を発表していた。稲作農耕文化とは稲を携えた人たちが南西諸島を北上し、九州に伝えたものとする柳田の壮大な仮説は、南西諸島に対する学術的な関心を高める契機ともなった。このような意味でも、島尾が在住していた頃の奄美は、戦後日本の学術研究のなかで奄美がもっとも注目されていた時期に重なっていた。「悲しき南島地帯」で言う「古文書などについても、挨拶として言うとき」とは、おそらく奄美に調査来島した研究者たちと会う機会を指していたのではなかろうか。

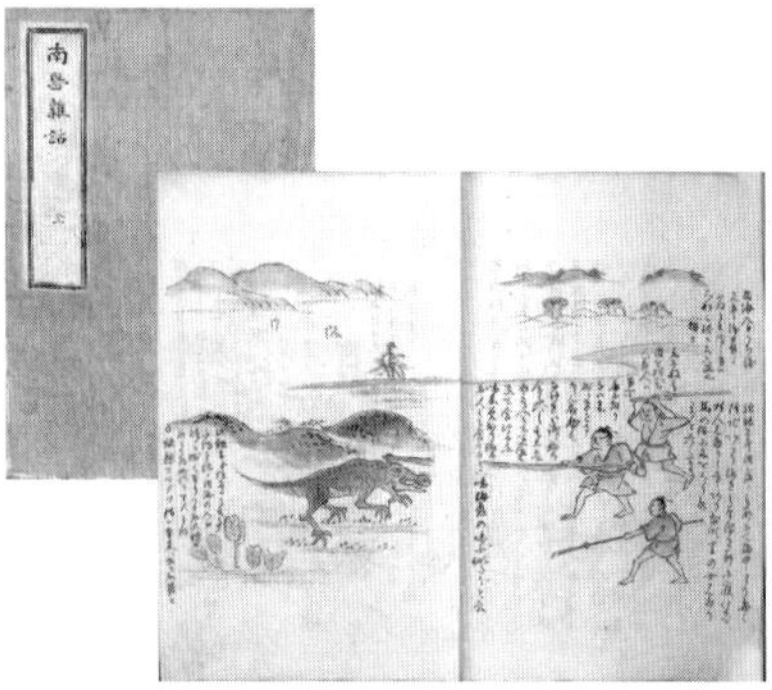
「南島雑話」

その後、島尾は一九六二（昭和三七）年から開始された『名瀬市誌』の編纂事業にも編纂委員として参加する。翌一九六三年には、『鹿児島県史』全四巻のなかから奄美関係部分を抜粋した名瀬市史資料第一輯『鹿児島県史（奄美関係抜粋）』も刊行された。こうした研究潮流に触発され、刺激的学びのなかから、島尾の「ヤポネシア論」は生成されていった。

（二）琉球弧のざわめき

「アマミと呼ばれる島々」に見られる、島尾の列島を俯瞰するような視座は、日本列島の南北まで射程に捉えた歴史的把握となり、一九六〇年代に入ると、通時的、比較史的な考察へと発展していく。一九六〇（昭和三五）年に公表された「日本の周辺としての奄美」で、島尾は日本史の転換期において、歴史的事件は琉球弧（南西諸島）でも連動する事態が（しかも、しばしば先行的に）認められるという事実を発見し、これを「琉球弧のざわめき」と文学的に表現した。すなわち、「日本の歴史の筋書きの中でさえも大きな転換期に遭遇するときには（幕藩体制のできあがる前後、また幕府の開国から明治維新にかけて、そしていまその渦中にある現在などのかわり目に）沖縄を中心にした南島のあたりが、まず、ざわめいてくることはふしぎといえばふしぎな現象である」。

以後、島尾は「私の見た奄美」、「奄美―日本の南島」、「明治一〇〇年と奄美」、「ヤポネシアと琉球弧」、「琉球弧に住んで一六年」などのエッセイで、この主張をさらに深めていく。稲作農耕文化や古墳文化の列島的展開や律令国家における蝦夷と隼人など、列島規模の歴史的俯瞰が深化していく過程で、日本列島の地域的多様性を「日本」という単一民族・単一文化で括る窮屈さを感じるようになり、その窮屈さを解放する概念として「ヤポネシア論」が生成されていくのである。しかし、ヤポネシア論に関するその後の考察は、必ずしも島尾の歴史学的な視点を踏襲する方向には展開しなかった。文学者としての島尾の成功が、研究者たちに名瀬在住時代の随筆作品の分析を文学的な方向へと向かわせ、島尾の問題提起した歴史的な視座は忘れられていく。管見によれば、こうした島尾の歴史学的な視座を本格的に見直そうとしたのは、中世史を専門とする柳原敏昭《やなぎはらとしあき》が初めてである。これに続こうとするのが、近世史の分野では弓削政己《ゆげまさみ》、考古学の分野では筆者である。

島尾が発見した「琉球弧のざわめき」、つまり、通時的に「日本」を俯瞰した際、歴史の転換期において、南西諸島にも連動した動態が認められるという事実を手がかりに、筆者は奄美史を通じて、列島の南における境界地域を古代から現代まで通観してみたい。

日本歴史	歴史区分	奄美の時代区分	『名瀬市誌』時代区分	沖縄の時代区分
旧石器時代	先史	旧石器時代	奄美世	旧石器時代
縄文時代		縄文時代		貝塚時代前期
弥生時代		弥生時代並行期		古墳時代後期
古墳時代		古墳時代並行期		
奈良時代	古代	古代並行期		
平安時代				
鎌倉時代	中世	中世	アジ世	グスク時代
室町時代		琉球国統治時代	那覇世	琉球王国時代
安土桃山時代				
江戸時代	近世	薩摩藩統治時代	那覇世	
明治時代	近代	明治時代		明治時代
大正時代		大正時代		大正時代
昭和時代		昭和時代		昭和時代
	現代	米軍占領統治時代	アメリカ世	米軍占領統治時代
		昭和時代		昭和時代
平成時代		平成時代		平成時代
令和時代		令和時代		令和時代

奄美史の時代区分（暫定案）

奄美史の通史的把握

奄美史は、非常に複雑である。大きな流れを要約するならば次のような変遷をたどる。一四五〇年前後から「琉球国」（現在の沖縄県）の統治下に入り、一六〇九（慶長一四）年から「薩摩藩」（現在の鹿児島県）の統治下となる。対外的には琉球国のまま、薩摩藩の直接支配が行われていた。また、一八六八（明治元）年頃から「鹿児島県」として近代国家に編成されていくが、太平洋戦争の敗戦後の一九四六（昭和二一）年から「米軍占領政府」の統治下となり、八年間の行政分離を経験することになる。こうした繰り返される複雑な行政統治が、奄美史の特徴である。

奄美群島は、北海道・沖縄県と同様、教科書で描かれる「日本史」とは異なる歴史を歩んだ地域である。その時代区分については、歴史学界で共通認識されているものが存在していない。とくに先史時代から琉球国統治時代に至る考古学的時代区分は、沖縄考古学における時代区分がしばしば適用されている。最近では統一化する動きも顕著であるが、奄美群島における考古学的成果は沖縄諸島と同一の様相を示しているわけでは決してない。

ここでは奄美市立奄美博物館がまとめた暫定案の時代区分と概説に基づき、各時代における国家の「境界」の位置に注意しながら通史をあらためて概観していく。筆者に与えられてた紙数の関係から、年代としては、列島の国家的な統治が行われるようになる律令国家の成立期から戦後の米軍占領統治期までの時期を対象とする。

（一）古代並行期（奄美世）

七世紀に律令国家が誕生すると、中華思想に基づいた地方統治政策が列島周縁まで展開されていく。律令国家成立直後から南西諸島とも交渉が開始され、九州に近い島嶼から次第に南側の島嶼へ交渉地域は拡大していくのである。

七世紀末には、南西諸島は「南島」という包括的呼称で表記されるようになり、八世紀初頭には大隅諸島《おおすみしょとう》の種子島・屋久島に「多褹嶋《たねとう》」と呼ばれる行政区画が設定された。以後、「南島人」の朝貢が活発化、授位が頻繁に行われるようになる。

そして、八世紀前半を最後に南島人の朝貢は認められなくなる。しかし、史料に南島に関する記録が残されていないからといって、八世紀後半以降、南西諸島に対する国家の関与が途絶えてしまったというわけではない。

それは、大宰府跡から出土した木簡群の中に、「㭺美嶋」（木へんに奄）「伊藍嶋」と記された木簡が含まれていた事実からも裏づけられる。「㭺美嶋」は奄美大島に、「伊藍嶋」は諸説が唱えられているが沖永良部島に比定する説が有力である。いずれも八世紀前半に位置づけられるもので、これらの島嶼から運ばれた貢進物を整理するための付札であると考えられている。これらの出土木簡は、南島人の来朝記事がほとんど史料に現れなくなる八世紀代にも、大宰府と南西諸島の交流が継続していた事実を示すものである。

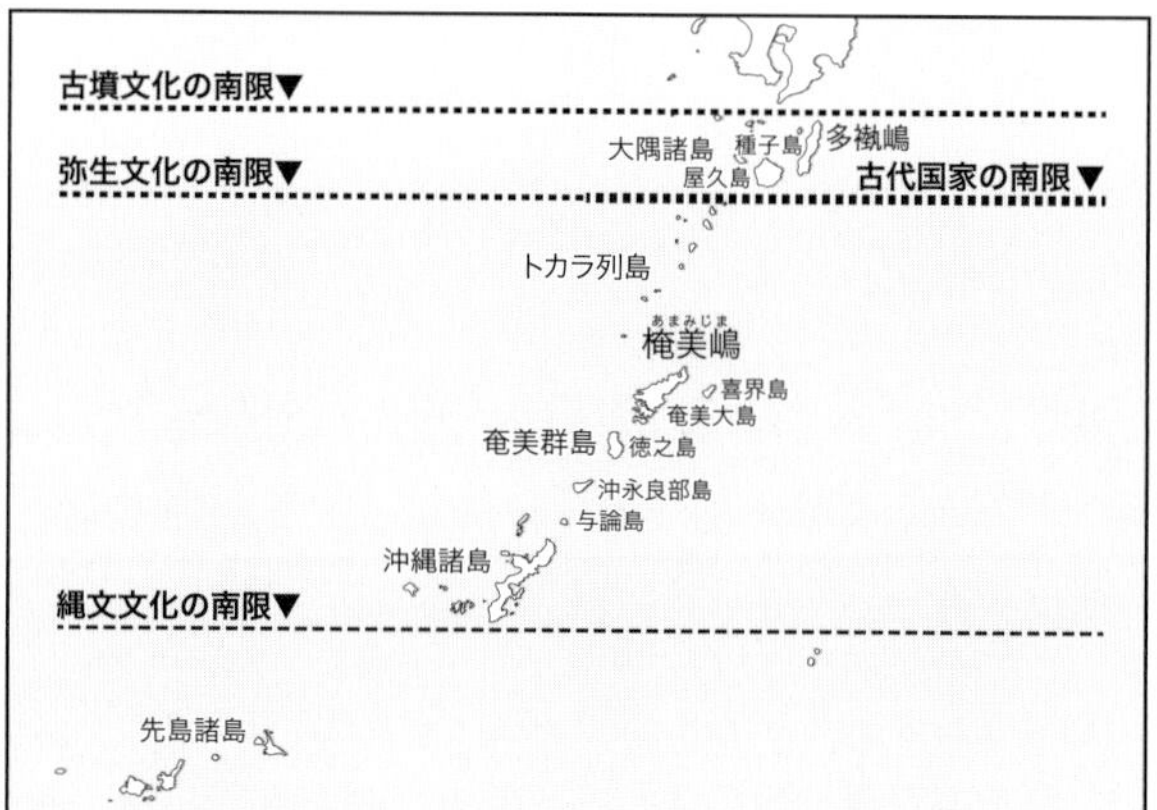

縄文・弥生・古墳文化と古代国家の範囲

南西諸島でもっとも九州に近い大隅諸島の種子島・屋久島までが律令国家の国家統治範囲であり、その南側に連なる島嶼は交渉地域であった。

七～八世紀の南島社会の実態について、文献史学と考古学の分野で、それぞれが導き出す社会像に齟齬があると指摘されてきた。つまり文献史学では、『日本書紀』『続日本紀』の南島人来朝記事をおおむね歴史事実と受け止め、南島社会は代表を島外へ派遣できるような身分階層がある程度発達していたと理解してきた。それに対し考古学の分野では、発掘調査による実証的事実から、南島社会は一一世紀代まで停滞的な漁労採集社会が営まれていて、朝貢等が可能な身分階層は考えられないというものだった。両者の対立的な見解が並行して支持されてきたのである※。

律令国家は、統治体制が急速に不安定になり、平安時代に入ると、列島南縁でも「多褹嶋」が廃止される等、統治体制が縮小されていく。しかし、宮廷貴族層の南方物産に対する所持嗜好は非常に強く、平安時代から赤木・檳榔《びんろう》・夜光貝等の南方物産交易は逆に活発化していく。奄美大島を中心に確認されている「ヤコウガイ大量出土遺跡」も、そうした南方物産交易にも関わるものと考えられ、律令国家成立期から南島社会は階層化した漁労採集社会が形成されていたと理解され始めている。

（二）中世（アジ世）

律令国家の成立に伴い、七～八世紀には、『日本書紀』『続日本紀』の史料で歴史の舞台に登場した南西諸島であるが、その主舞台は九州に近い薩南諸島であった。九～一〇世紀の様子は明らかではないが、『日本紀略』において一〇世紀終末の薩南諸島が「キカイガシマ」としてふたたび姿を現す。以後、キカイガシマは、一三世紀頃まで文献史料に散見されるようになる。

鎌倉時代には、列島南縁の地理的認識はさらに精密となり、薩南諸島は「口五島《くちごとう》」「奥七島《おくしちとう》」から成る「十二島」と「外五島」（奄美群島）として認識されるようになる。口五島は中央政府に従い、奥七島は中央政府に従わない存在として区別されている。

※七～八世紀の南島社会について、文献史学と考古学が異なる社会像を描いている事実を明らかにしたのは、鈴木靖民である。その問題提起を受けて、あらためて考古学側から再検討をした高梨「『南島』の歴史的段階」もある。

一三世紀代には十二島地頭職が設置され、一四世紀中頃まで島津氏が十二島地頭職を一貫して務めていた。その一方、十二島は薩摩国河辺郡にも属していた。河辺郡司職が別にあり、平姓河辺氏が保持する複雑な統治が行われていたのである。「承久の乱」の後、河辺郡は鎌倉幕府に没収され、一三世紀後半からは得宗被官《とくそうひかん》である千竈《ちかま》氏が河辺郡地頭代官職に就いている。一四世紀代には十二島に「此外五島」（奄美群島）が加えられるようになり、鎌倉幕府による薩南諸島海域の管理体制が進展していた。

当時の国家領域をめぐる地理認識は、東の境界がソトガハマ、西の境界がキカイガシマと考えられていた。キカイガシマには、複数の用例が認められ、キカイガシマが示す場所は、必ずしも一様ではない。ただし、その領域は、おおむね薩南諸島の島嶼海域に重なる範囲であると理解されている。

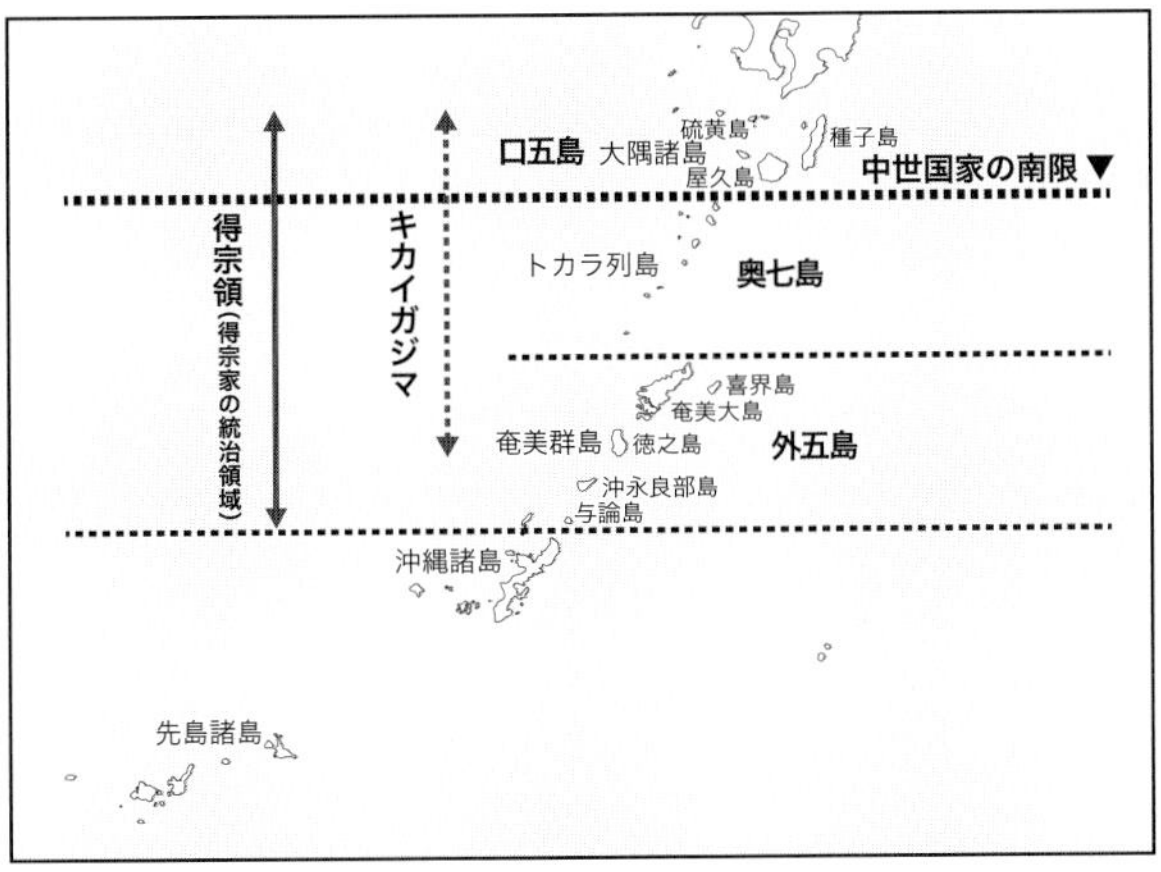

中世国家の範囲

文献史料にキカイガシマが現れる一一～一三世紀頃、キカイガシマの名称を直接的に持つ喜界島には大規模遺跡の「城久遺跡《ぐすくいせき》」が、徳之島には窯業生産遺跡の「カムィヤキ陶器窯跡」が出現している。

城久遺跡は、搬入遺物《いぶつ》が中心のきわめて特異な遺跡である。遺跡は、（Ⅰ期）九世紀～一一世紀前半、（Ⅱ期）一一世紀後半～一二世紀、（Ⅲ期）一三世紀～一五世紀のおおむね三つの時期に区分されている。遺跡が最大規模に達する時期は、Ⅱ期である。高地の台地縁辺に大規模な掘立柱《ほったてばしら》建物跡群が営まれ、在地産のカムィヤキが多数出土するほか、国産の土師器《はじき》・須恵器《すえき》・滑石製石鍋《かっせきせいいしなべ》・灰釉陶器《かいゆうとうき》等、舶載《はくさい》の白磁・越州窯《えつしゅうよう》青磁・高麗《こうらい》青磁・高麗無釉《むゆう》陶器等の搬入遺物が出土する。喜界島以外から運び込まれた外来容器類が多数出土しているのが特徴である。搬入遺物（官衙等に特徴的な遺物も複数含まれている）が中心となる特異な様相から、在地の人びとに営まれた遺跡とは考えにくい。九州から南進してきた交易集団により営まれたと考えられている。

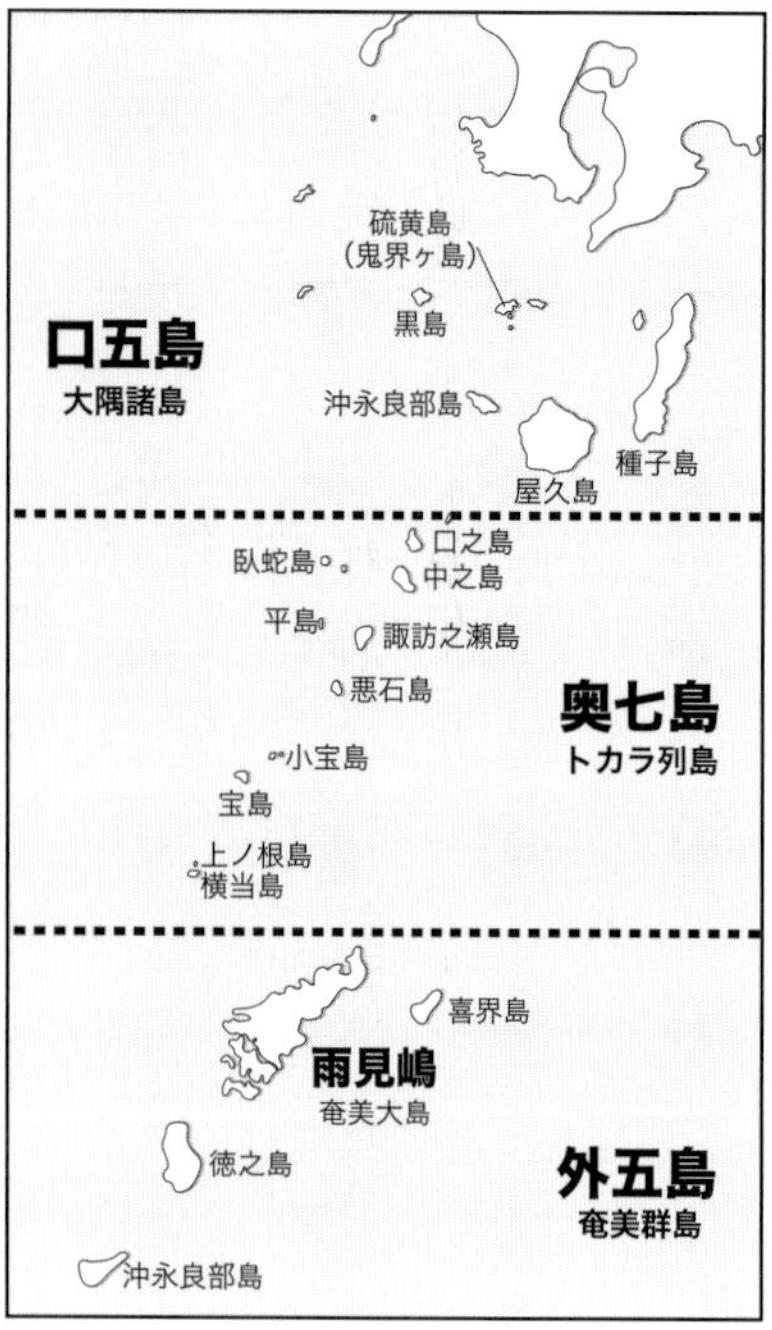

薩摩国河辺郡の十二島

カムィヤキ陶器窯跡は、この交易集団に陶器の供給を行うために、森林が豊富な徳之島で窯業生産が行われたものと考えられる。その生産品は、奄美群島を中心に、九州西海岸から南西諸島全域にも及んでいて、中世国家の領域を越えてカムィヤキ交易が行われていた様子がわかる。

中世開始期の一一世紀代に、奄美群島に波及した「滑石製石鍋」「白磁碗」「カムィヤキ（陶器）」の中世的容器群の展開は、農耕文化と鉄器文化を伴いながら、沖縄諸島、そして先島諸島まで南進する。沖縄史におけるいわゆる「グスク時代」の扉を開けたのである。グスク時代は、琉球諸島（沖縄諸島・宮古諸島・八重山諸島）の島嶼が歴史的に共通の文化を歩み始める最初の段階であり、鉄器が普及し、農耕社会が形成され、琉球国誕生に向けた社会的基盤が展開していく時期にあたる。

奄美群島から琉球諸島へ、九州から南漸した外来者により新しい文化が拡散、浸透していく過程こそ、当該地域が日本語圏に含まれていく時期と考えられる。

（三）琉球国統治時代（那覇世）

沖縄島で、一三世紀後半から独自の琉元貿易が開始されると、一四世紀代には各地に城塞型グスクが出現し、「北山」「中山」「南山」の三つの政治的勢力（三山）に成長していく。明が成立すると、三山による朝貢貿易が開始され、その直後に「琉球国」が誕生した。島尾が「琉球弧に住んで一六年」で、「中世以後は南島に別の国家機構ができあがった。」と指摘しているように、中世「日本」の外側に「琉球国」という別の国家が形成された。今日の日本の領域とは、中世に形成された「日本」と「琉球」の二つの国家領域から構成されている。

　琉球国は、奄美群島にたびたび軍事侵攻を行い、一五世紀中頃には奄美群島を統治下に加えた。その後、一四七七（文明九）年から第二尚氏王統に継承され、中央集権体制が確立されてくると、琉球国の行政機構が奄美群島にも適用されるようになる。現在の市町村にあたる「間切」と呼ばれる行政区画に分けられて、奄美大島には笠利・名瀬・古見・住用・屋喜内・東・西の七間切が設置されていた。各間切には、大親と呼ばれる最高職とその下に与人が置かれ、掟・筆子・目差などのシマ（集落）単位の役人が配置されていた。別に神女職としてノロと呼ばれる神女が配置され、重要な職務が与えられていた。琉球国における地方神女組織は、各島にノロを統括する上位神女として「大あむ」が存在し、その下位に集落単位でノロが任命されていた。

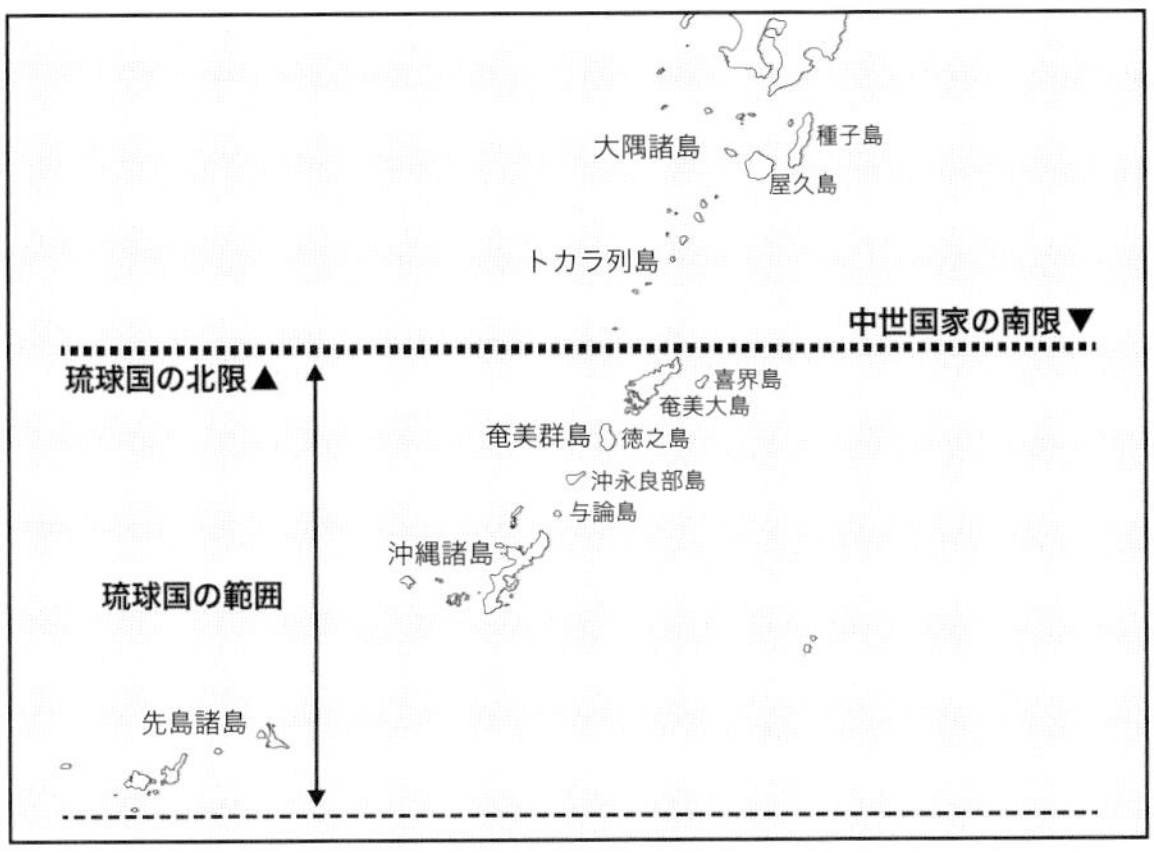

琉球国の範囲

（四）薩摩藩統治時代（大和世）

　江戸時代開始直後の一六〇九（慶長一四）年、薩摩藩は琉球国へ軍事侵攻して、異国である琉球国を支配し統治下に置いた。薩摩藩は、琉球国を支配しながら公的には独立国家として存続させ、琉球国から薩摩藩に割譲された奄美群島も、公的には「琉球国之内」（琉球国領）として取り扱い、対外的には琉球国を装い続けることを強制した。この時代から奄美群島は琉球国と異なる歴史を歩み始めることになる。幕藩体制に組み込まれ、広義の近世国家に編入されていくのである。教科書レベルの日本史の知識では理解できない奄美群島の歴史のもっとも難解な部分である。

　奄美群島の統治に際して、薩摩藩は、琉球国の間切制度を継承するが、一六二三（元和九）年の「大島置目条々」発令以後、その行政機構は大きく変化した。間切最高職である「大親」を廃止して、「与人」に代えている。一六五九（万治二）年には、各間切に与人の補佐役として横目職を新設し、その後、田地

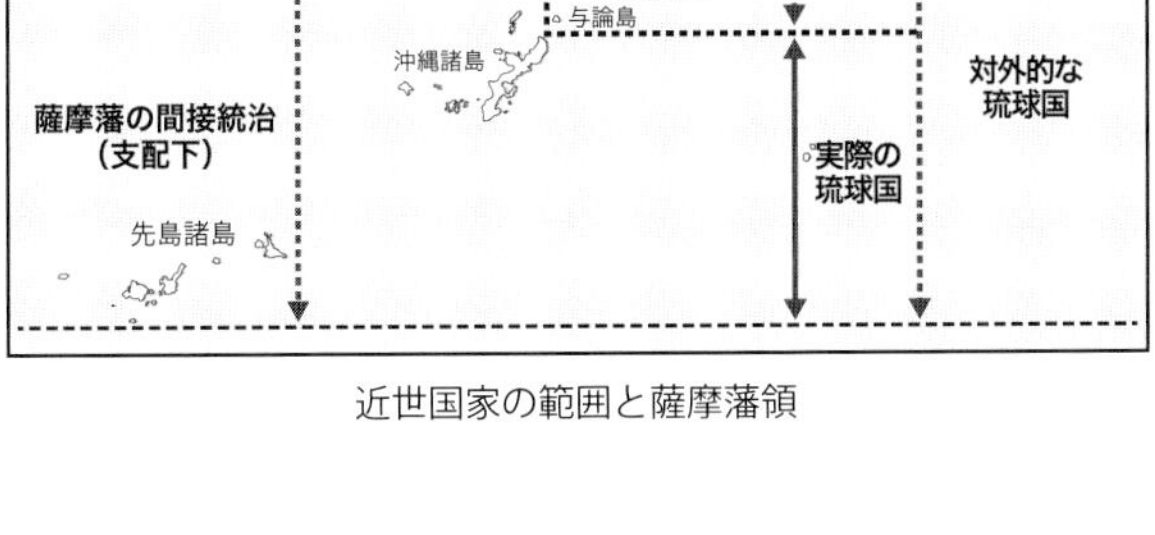

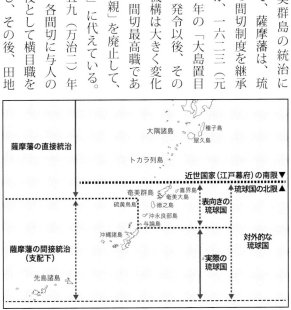

近世国家の範囲と薩摩藩領

横目・津口横目・黍横目などの細分化が進んだ。さらに万治年間には、各間切を二つの「方」に区分して与人二人を配置し、各間切各方には、与人―横目―筆子―掟の役職を基軸とした島役人による行政組織が整えられた。

　薩摩藩は、米による税収確保のため、奄美群島の農業振興に積極的に取り組んでいたが、一七四七（延享四）年の「換糖上納令」（米を黒糖に換算して税として納める）発令を契機に、稲作からサトウキビ栽培への転換が進行した。さらに一八三〇（文政一三）年の「惣買入制」（黒糖の私売を禁じ、生産した黒糖は米などの諸物品と不等価交換で藩が買い入れする制度）が開始されると、サトウキビ栽培のプランテーション化が奄美群島全域で進行し、植民地的支配が強化されていった。

　この時期は、調所広郷による一八三〇（文政一三・天保元）年の天保の藩政改革が開始された時期にあたる。薩摩藩の財政再建に際し、奄美群島の黒糖政策は重要施策となり、幕末に「黒糖地獄」と呼ばれる時代が到来した。

　幕末になると、一八四〇（天保一一）年に清国がイギリスによる侵略戦争（アヘン戦争）で敗北、一八五三（嘉永六）年にはアメリカ（ペリー艦隊）が「日米和親条約」を幕府に要求してくるなど、アジア情勢は激動の時代を迎えていた。日本を揺るがした黒船来航のとき、名越左源太《なごやさげんた》は奄美大島に暮らしていた。

　薩摩藩は、形式上は琉球国領のまま実質的には直接支配していた奄美群島において、各種の殖産興業政策を推し進め、さらに奄美群島の統治政策も見直しを進めるなど、奄美群島を薩摩藩の財政強化拠点に位置づけようとしていた。そうした奄美大島の資産総点検の意味を持ちながらまとめられたものが名越左源太による奄美大島の解説図譜『南島雑話』なのである。

（五）近代（明治・大正・昭和）

　明治時代になると、国家領域は周縁地域まで拡がり、ついに列島全域を国土範囲として含み込んでしまう。今日の「日本」につながる国家が姿を現す。歴史上、長らく南西諸島の北半島嶼で伸縮を繰り返していた国家境界は、一気に列島南縁の南端まで拡がることになる。

　一八〇一（享和元）年に仮屋が名瀬の伊津部に移転されると、官公庁の変遷に伴いながら寄留商人《きりゅうしょうにん》を中心に名瀬の街の形成が始まり、アジア海域における拠点的港湾都市のひとつとして飛躍的発展を遂げていく。一八七一（明治四）年の廃藩置県後、薩摩藩は「鹿児島県」になり、一八七五（明治八）年に名瀬の伊津部仮屋が廃止、新たに「大島大支庁」が名瀬金久村《かねくむら》に設置

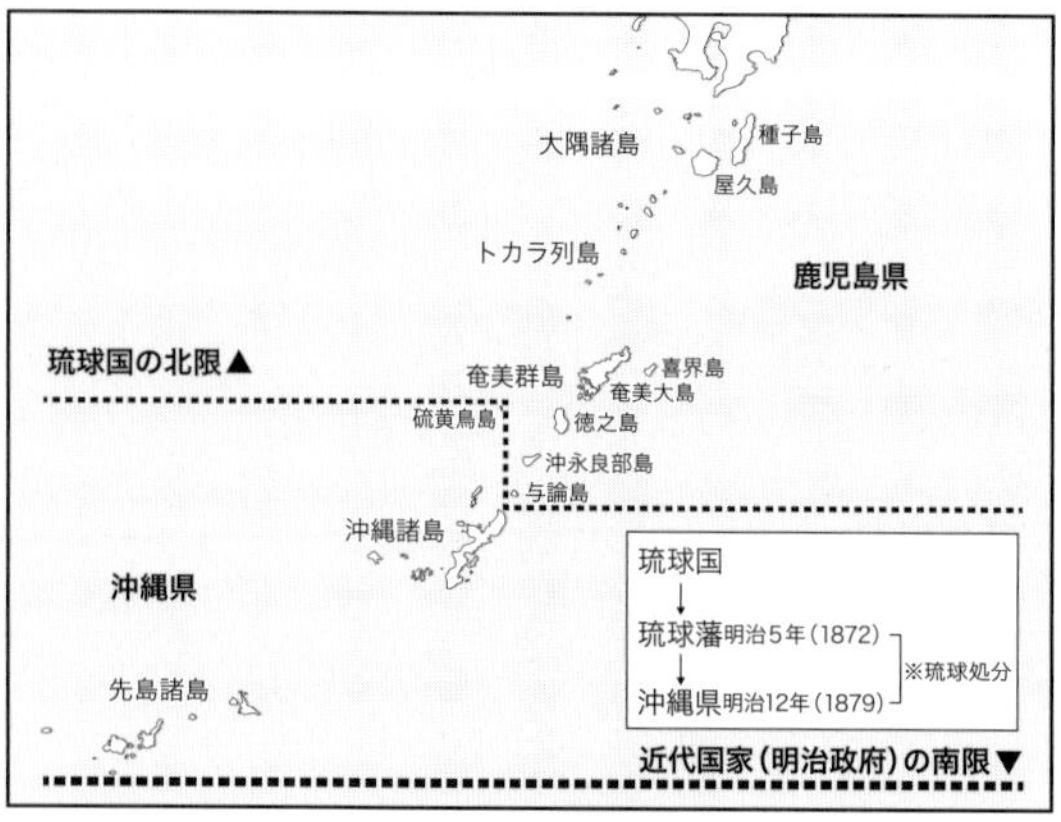

近代国家の範囲

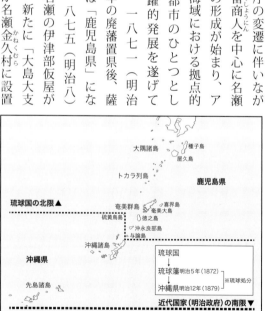

され、奄美群島各島にも支庁が設置された。以後、大正時代に至るまで、薩南諸島をめぐる行政区画制度は複雑に変わり、何度も再編成が繰り返された。

明治の時代になっても、砂糖利権は鹿児島県に独占された状態が続いていた。独占売買のため、「大島商社」「南島興産商社」等が組織され、島民は債務増大に苦しんだ。黒糖をめぐる島民苦難の時代は、戦後になるまで続いていた。島民から砂糖を相場より著しい低値で買い上げ、大阪市場において高値で売却し、その利潤を県が得るという薩摩藩統治時代から続く構造は変わらなかった。鹿児島県による独占売買が続き、島民たちは厳しい暮らしが続いた。その一方で、国家的な殖産興業策が展開され、奄美群島でも大島紬、カツオ漁、林業、百合根等の新しい産業が成長した。

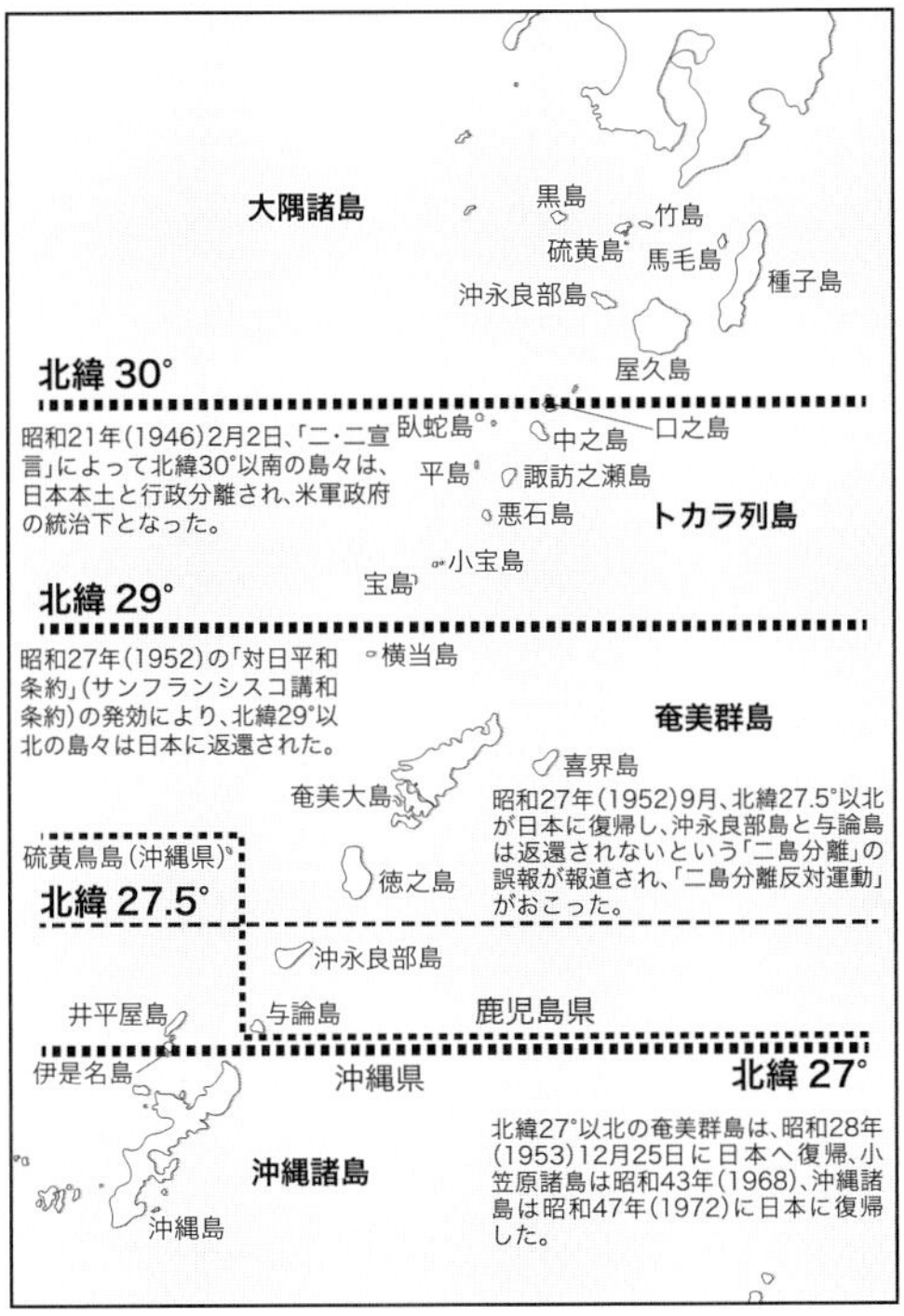

米軍占領統治された南西諸島の日本返還過程

経済的に厳しいサトウキビ栽培に代わる現金収入の確保という社会的背景も、新産業の展開を大きく促したのである。

明治になって鹿児島県が薩南諸島統治の行政拠点として奄美大島名瀬村に設置した機関が「大島大支庁」である。一八九四（明治二七）年には（大島大支庁は大島島庁に変わる）、「大島島庁」に元弘前藩士（青森県）の笹森儀助《ささもりぎすけ》が大島島司として起用され、赴任しているのも注目される。笹森は、一八九二（明治二五）年、明治政府による列島北縁の国土調査に参加し、その調査報告書『千島探験』をまとめ、さらに沖縄県を中心とする列島南縁の国土調査も行い、調査報告書『南嶋探験』をまとめている。列島南北の周縁地域の最新情報をよく知る人物であった。

笹森の行動に見られるように、国家の外側にある異域を国土領域に編入して、国境防備や「琉球処分」後の沖縄県の実状等、近代国家の周縁統治強化のための情報収集等が進められていったのである。

（六）米軍占領統治時代（アメリカ世）

一九四五（昭和二〇）年八月一五日に太平洋戦争（第二次世界大戦）が終結した。翌一九四六（昭和二一）年二月二日の「連合国覚書宣言」（二・二宣言）により、北緯三〇度線以南の南西諸島は、日本本土から行政分離され、米軍占領政府による行政統治が開始されることになる。同年一〇月三日、「大島支庁」が廃止され、「臨時北部南西諸島政府」が設置された。近代国家が成立して、戦争という武威による国土拡大を外国にまで拡げてきた「日本」であるが、太平洋戦争の敗戦により、その国土範囲は大きく縮小された。

一九五〇（昭和二五）年、「対日講和条約」の交渉が始まると、日本復帰への期待が高まり、翌年二月一四日に「奄美大島日本復帰協議会」が発足し、泉芳朗が議長に就任して、本格的な日本復帰運動が始まる。奄美群島の住民をはじめ、全国各地の奄美群島出身者も一丸となり、署名活動や断食活動等の「無血」と「非暴力」を掲げた組織的運動が展開された。

一九五一（昭和二六）年九月八日に「対日講和条約」が締結・調印され、翌年四月二八日に「対日講和条約」（サンフランシスコ講和条約）が発効した。連合国による日本国の占領統治が終了、日本国の主権が回復し、一九五二（昭和二七）年二月四日にはトカラ列島が日本に返還された。国家境界は北緯二九度まで南進し、国家範囲はふたたび拡がり始めた。

一九五三（昭和二八）年八月八日、米国と韓国の共同防衛条約の締結後、ダレス米国国務長官が「奄美群島を日本に返還する」旨の声明を発表、一二月になり「一二月二五日返還」が決定した。一二月二四日の夕方、日米間で「奄美群島返還協定」の調印が行われ、奄美大島では「琉球政府奄美地方庁」の廃庁式が行われた。一九五三（昭和二八）年一二月二五日、奄美群島の日本復帰が実現した。

奄美群島の北側に存在していた国境は、その南側に位置を転じ、鹿児島県と沖縄県の県境に北緯二七度まで南進し、国家の範囲は再び拡がり始めたのである。

その後、沖縄県が日本復帰を果たしたのは、奄美群島の日本復帰から一九年後の一九七二（昭和四七）年五月一五日であった。

おわりに ——「境界史」としての奄美史

奄美群島の歴史を通時的に概観してきた。ここで意図したのは、島尾敏雄が日本列島を歴史的に俯瞰した視点であり、国家の政治体制が歴史的に変遷していく過程で、日本という国家の範囲について、その南側の境界はどこに置かれてきたのか、通時的に確認することであった。

太平洋戦争の敗戦後、南西諸島は、北緯三〇度以南が行政分離され、米軍の占領統治下に置かれた苦難の歴史がある。その行政分離の歴史に、鹿児島県の島嶼が含まれていた歴史的事実は、日本国民に十分共有されていない。戦後、米軍占領統治下にあった島嶼は、トカラ列島、奄美群島、琉球諸島（沖縄県）と段階的に日本に返還されてきたわけであるが、そうした事実は、現代においてもなお日本という国の範囲が伸縮していたことを私たちに教えてくれる。日本の国境は、奄美群島の南北で揺れ動き、伸縮していたのである。

この米軍占領統治の国境の伸縮に象徴されるように、日本列島における国家範囲を通時的に

奄美博物館日本復帰関係展示

確認してみると、日本という国家の南側の境界は、南西諸島のなかで伸縮を繰り返してきた歴史が明確に確認される。その様子は、具体的に言うならば、国境の位置が奄美群島の北側にあるか南側にあるかという視点で理解することもできる。すなわち奄美群島は、国家範囲に含まれたり、隣接したりを政治的に繰り返してきた「境界領域」として理解できるのである。

　島尾が日本列島を俯瞰して、歴史的把握を通時的に展開していた視点を、より具体的に地域的に絞り込み、日本の南側の国境に関して、それぞれの時代における国家の範囲はどこまで拡がるのか、国境の位置はどうしてそこにあるのか、その意味を確認しながら概観してきた。こうした作業は、地域の歴史から日本の歴史を理解することに繋がっている。その意味で、奄美史とは、日本の行政統治の歴史と不可分の関係にあり、日本の歴史を理解する上で欠かせない地域史であると位置づけられる。「境界史」としての奄美史の重要性が浮かび上がる。

奄美市名瀬「大熊集落」ノロ祭祀

　私たちは、そうした「境界史」としての奄美史について、さまざまな観点からたくさんのことを学ぶことができる。奄美群島は、これまで鹿児島県と沖縄県、あるいは薩摩藩と琉球国の「狭間」であるとしばしば指摘されてきたが、「狭間」でなく日本という国家の「境界」であると理解するとき、奄美群島に刻まれてきた苦難の歴史が、普遍的な学びの対象として鮮明に現われてくるように思われる。

　島尾敏雄は、列島を俯瞰した歴史的把握を進めた結果、それまで単一的に理解されてきた日本歴史や日本文化の枠組に疑問を投げかけ、そこから抜け出る新たな枠組を構想していた。島尾は、近代以降、日本列島が「日本」という国家の政治的等質性に覆い尽くされ、日本文化＝稲作文化として一括りにされてきたことを指摘した。そして、日本の歴史のなかで、かつて列島の北縁・南縁に営まれていた蝦夷や琉球などの特色ある地域に注目し、それらを「もうひとつの日本」と理解したのである。日本列島を柔軟に捉え直すための装置として島尾が歴史学的視点から構想した概念が、「もうひとつの日本」を含めた地域から成る日本列島としての「ヤポネシア」なのである。

　島尾がそうした作業に取り組んだのは、東海道新幹線・東名高速道路等の大動脈が整備され、東京五輪・大阪万博の開催や「日本列島改造論」と呼ばれた政策が発表され、諸外国から「東洋の奇跡」と言われた戦後日本が高度経済成長に沸き立った時代だった。しかし、島尾が「ヤポネシア」を想念したその場所は奄美だったことにまた多くの意味があるのだろう。

（高梨修）

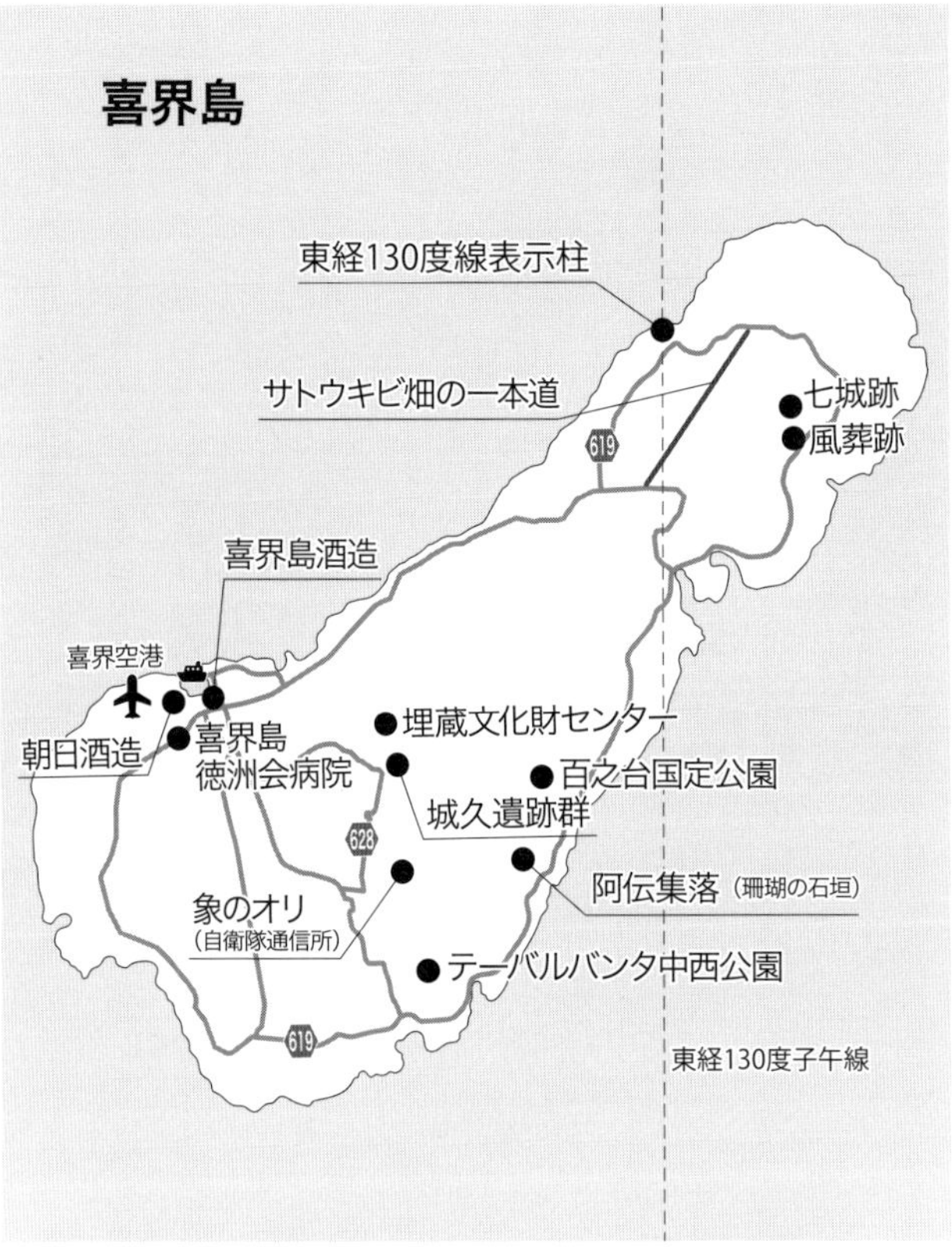

百之台からの風景

城久遺跡群

埋蔵文化財センター

コラム　キカイガシマと喜界島

一九九六年五月、硫黄島（鹿児島県三島村）の長浜で歌舞伎「俊寛《しゅんかん》」が、五代目中村勘九郎《なかむらかんくろう》によって上演された。また、十八代目中村勘三郎を襲名したあとの二〇一一年一〇月にも、硫黄島で再演された。『平家物語』や謡曲「俊寛」を題材にした近松門左衛門《ちかまつもんざえもん》の人形浄瑠璃「平家女護島《へいけにょごのしま》」（一七一九年大阪竹本座で初演）は、まもなく歌舞伎に移され、二段目（二幕目）「鬼界が島」が「俊寛」の通称で演じられている。

硫黄島は、薩摩半島と屋久島の中間に位置し、七三〇〇年前に巨大噴火を起こした鬼界カルデラのカルデラ壁にあたる火山島（周囲約一九キロメートル、標高七〇四メートル、硫黄岳）である。国土地理院の地形図では、硫黄島の下に（鬼界ヶ島）と記されている。

『平家物語』によれば、後白河法皇の近臣であった俊寛《しゅんかん》は、藤原成親《ふじわらのなりちか》・西光《さいこう》（藤原師光《ふじわらのもろみつ》）・藤原成経《ふじわらのなりつね》・平康頼《たいらのやすより》らとともに平清盛《たいらのきよもり》の打倒を謀った。治承元年（一一七七）六月、謀議の関係者は相次いでとらえられ、処罰された。西光は斬首、成親は備前国に流された後、殺された。俊寛・藤原成経・平康頼は、キカイガシマへ配流されることになった。二年後、赦免されたのは成経・康頼の二人で、ひとり残された俊寛は「足摺り」をすることになる。その姿を写した俊寛像が、一九九五年長浜に、二〇一一年硫黄島北端の平家城に立てられた。

鹿児島市から南に約三八〇キロメートル、奄美大島の東約二〇キロメートルに喜界島（大島郡喜界町、周囲約四九キロメートル、最高標高二一七メートル）がある。ここにも俊寛像がある。湾集落の「坊主前《ボーズンメー》」で見つかった人骨・金具・木片を鑑定した結果、人骨は歴史時代の相当に身分の高い人物の遺骨で、立派な隅金具のついた木棺は木曽地方で産するクロベ材であると鑑定され、喜界町は俊寛の墓であることに自信を深め、京都の平安博物館がこの人骨を元につくった座像を一九八六年に設置した。

実際に俊寛の流されたキカイガシマはどちらの島だったのだろうか。『平家物語』に火山島として描かれ、『吾妻鏡《あずまかがみ》』正嘉二（一二五八）年九月二日条に、賊徒の輩と徒党を組んだ平俊職《としなり》の硫黄島配流記事があり、祖父康頼と孫にあたる俊職は同じ島に流されたとあるから、俊寛らが流されたキカイガシマは、硫黄島であったと考えられる。

キカイガシマの初見は、『日本紀略』長徳四（九九八）年九月十四日条である。前年に起こった南蛮(奄美島人)襲来事件に関して、この日、大宰府が貴駕島《きかいがじま》に対して南蛮を捕え進めよと下知した。同長保元（九九九）年八月十九日条によれば、大宰府が南蛮の賊を追討したと報告してきているから、この追討命令は実行に移されたことがわかる。ここで注目しておきたいのは、①キカイガシマは、追討の対象となった奄美とは区別され、②キカイガシマには、大宰府からの命令を実行に移す官人、あるいは「島」という行政機関が置かれており、③キカイガシマの「キ」音が「貴」と表記されていることの三点である。

考古学の成果から②について見ると、二〇〇二年に喜界島（喜界町）で大規模な発掘調査が開始された。二〇一七年に国史跡に指定された城久遺跡（面積約一三万平方メートル）は、Ⅰ期（八世紀末〜一一世紀）、Ⅱ期（一一世紀後半〜一二世紀前半）、Ⅲ期（一二世紀中頃〜一四世紀前半）に区分でき、Ⅰ期では量は少ないが越州窯精製品など高級品が多く、出土遺物の七〇％は島外からの搬入品となっており、大宰府とのつながりを想定できることから、初見記事のキカイガシマは、大島郡の喜界島であった可能性が高まった。

一一世紀に成立した『新猿楽記』（藤原明衡《あきひら》作）には、貴賀之島が登場しており、一二世紀までの史料では③のようにキカイガシマの「キ」音は「貴」「喜」などのプラスイメージの用字となっている。赤木・檳榔《びんろう》・夜久貝《やくがい》など王朝貴族の垂涎の品を産出する南の島々は、「貴」「喜」などのプラスイメージで捉えられていたのであった。これによって、キカイガシマは、大島郡の喜界島を指す個別島名から、南の島々の総称＝集合名称として用いられるようになったと考えられる。

源師房《みなもとのもろふさ》の日記である『長秋記《ちょうしゅうき》』天永二（一一一一）年九月四日条によれば、紀伊国に来着した喜界島の者に関して、陣定《じんのさだめ》が開催された。この陣定は「宋人定《そうじんさだめ》」に準ずるものであり、キカイガシマは宋と同じく日本の外と認識されていることがわかる。一一世紀にキカイガシマは、大宰府の指令を受ける日本の内側から外側へと位置づけを変えている。領域外への恐怖心や火山島＝地獄のイメージ、流刑地としての利用などにより、「キ」音は、「鬼」というマイナスイメージの用字へと変化していくことになる。

一一世後半に入ると、南島の情況に大きな変化が現れていた。喜界島（喜界町）の城久遺跡は最盛期を迎えることになり、徳之島では、高麗無釉《むゆう》陶器の技術を導入してカムィヤキの焼成が始まって、琉球列島を中心に流通するようになった。長崎県彼杵半島《そのぎはんとう》産の滑石製石鍋や玉縁口縁《たまぶちこうえん》の中国産白磁なども南島に広く流入するようになった。

その一方で、一一世紀後期に硫黄交易が本格化していく。西夏《せいか》と対決していた宋（北宋）は、一〇八四年に商人を募って火薬の原料となる硫黄五〇万斤を輸入しようとした。その際五綱《ごう》（綱は商人集団）の商人集団が来日したことが日本側史料からも確認できる。こうして硫黄を産出する硫黄島は南島を代表する島となり、イオウガシマは南島の総称＝集合名称として用いられ，キカイガシマとイオウガシマはしばしば混用されるようになっていった。

『吾妻鏡』によれば、一一世紀半ば、薩摩国阿多郡《あたぐん》に本拠を置き源為朝の舅《しゅうと》として九州で大きな力をふるった阿多忠景《あただだかげ》は、平家在世の時の永暦元（一一六〇）年頃、勅勘《ちょっかん》を蒙《こう》むり、貴海島《きかいがしま》に逐電した。また、文治四（一一八八）年に源頼朝は、義経が隠れている可能性があるとして、キカイガシマを征討させた。この後、現在の鹿児島県三島村《みしまむら》・十島村《としまむら》の島々は薩摩国河辺郡十二島とされ、十二島地頭職が設定されたが、奄美諸島には幕府の所職は設定されなかった。

幕府の御家人であり得宗被官《とくそうひかん》でもあった千竈時家《ちかまときいえ》の嘉元四（一三〇六）年四月一四日付譲状では、トカラ列島・奄美諸島の島々が相続の対象となっており、そのなかに「きかいかしま」が含まれている。また同じ頃に成立の「金沢文庫本日本図」には「私領郡」としての海見《あまみ》島が見えており、これは得宗の周辺で奄美諸島が認識されていたことを示している。

貞治三年（一三六四）四月十日付の島津道鑑《しまづどうがん》（貞久《さだひさ》）の師久《もろひさ》宛の譲状には、薩摩国河辺郡の「十二島此の外五島」が見えており、この「五島」が奄美諸島の島々のことと考えられる。一四世紀に南方で琉球王国が形成され、奄美諸島に勢力を伸ばしていった。奄美諸島は、琉球王国と日本・朝鮮の航路上にあり、北方と南方の勢力争いが行われる場となった。奄美大島の赤木名城《あかきなじょう》跡、喜界島の七城《ななじょう》など奄美諸島北部には九州系の城郭遺跡が見られ、また喜界島の川寺・中増《なかまし》遺跡は一三世紀から一五世紀前半の集落跡で、製鉄遺構や大鎧の部品なども見つかっていて、強い勢力を持った集団が武装しつつ広く交易していたことをうかがわせる。『朝鮮王朝実録』によれば、琉球王国は一四四一〜四六年に大島征討を完了し、喜界島は、琉球王国による連年の攻撃をしのいだが、ついに一四六六年国王尚徳《しょうとく》自らの遠征によって、琉球王国の版図に入ることになった。喜界島が、連年の攻撃に持ちこたえた背景には、九州系の勢力の支援があったと考えるのが妥当であろう。こうして喜界島は、琉球王国の版図の北端に位置づけられることになった。

（永山修一）

コラム
「密貿易」と「密航」の境界

トカラ列島には「与助」をめぐる伝説がある。島々に根神岳、根神山、女神山があり、根本の洞穴や岩にまつわる話が多い。一六世紀後半に島々を日向国油津《ひゅうがのくにあぶらのつ》の海賊東与助が廻って、荒らしていたという。小宝島の根神山《ねがみやま》には洞穴があり、与助がこの洞穴に隠れ、牛や女を盗んでいたという。逆に島民が洞穴に隠れ、与助を誘い出し、穴に落としたという言い伝えもある。中之島では、島民が宝物を断崖の小屋に隠し、与助はそれを取りに行った時、小屋に火を放って与助を女とともに焼き殺したという。

鹿児島との村営連絡船金十丸（「十島村誌」1729 頁を参照）

この海域で活動した海賊についての伝説に登場する人物は、中近世の記録にも記されている（『十島村誌』第二編第三章）。伝説では与助の亡霊が祟り、害虫のブヨとなり島民を苦しめてきた。そのため、人々はお盆の前日に施餓鬼棚《せがきだな》に供物をし、札を立てる。翌日（旧暦七月一五日）の晩、島民が集い「与助踊り」をして海賊の亡霊を弔っている。

ここで話を変えて、時間軸を近世から終戦後に移してみよう。長引く戦争で奄美やトカラの人びとは次第に本土との連絡の手段を失い、終戦後に本土と分断され、境界の島々となる。沖縄本島のように激しい戦火には見舞われなかったが、孤立した島は日常生活品を含めて、何もかもが不足するようになる。沖縄本島の大半が焦土と化したことで、欠乏はさらに激しくなっていた。当初は米軍政府の配給品をもって島民は危機を乗り切ったが、食料や衣類の需要が高かった。本土では二束三文の日用雑貨が、沖縄や奄美では貴重品並みに高値で売られていた。その一方で、砂糖一斤が五円か六円していたのに対し、本土ではその一〇倍以上、六〇円か七〇円で取り引きされていた（口之島小中学校『前岳』一六頁）。

人びとの移動は厳しく制限され、本土との自由な行き来はできなくなっていた。島々の間での移動も許可なしではできなかった。他方、米軍は、終戦後に動員解除が迅速に進行し、海上の境界を警備する人員は不足していた。口之島は密貿易と密航の基地となり、西之浜には一〇〇軒もの掘っ立て小屋が建ち並んでにぎわっていた。「我々がいなければ、奄美の経済はほんとうに破綻していましたよ。（中略）いってみれば闇商売は、奄美にとって官民一体の大事業だったんじゃないですか。（中略）密貿易から『密』の字をとればただの貿易だし、闇商売から『闇』という字をとればただの商売だったんです。」「行政分離されて、北緯三〇度線というような国境線が引かれなければ、ただの貿易だった（後略）」（佐竹京子『軍政下奄美の密航・密貿易』一三二頁）。

（コンペル・ラドミール）

Ⅲ　変動する境界 ——南西諸島の分断軸

戦後日本の唯一の「陸上境界」

島国日本にはかつて、二つの陸上の境界線があった。ひとつはサハリン島（樺太）における世界大戦までのロシア（ソ連）との境界だった。この境界はしばしば歴史書に登場する。もうひとつの陸上の境界は、実は戦争が終わってから誕生している。そしてこの境界線は、今日、多くの人々の記憶に残っていない。南西諸島における北緯三〇度の境界線がこれだ。南西諸島と聞くと、海上の境界を思い浮かべそうだが、北緯三〇度線は口之島という島の上を走っている。この境界は米国統治下の「琉球」と「日本」との境界となるが、「陸上」なる言葉は、歴史書にはほとんど登場しない。話はもう少し複雑であるから。

「海上の道」としてのトカラ列島

日本は、九州から南西の方面に多くの島々が点在している。鹿児島から沖縄本島までの距離は約六〇〇キロ、また屋久島から奄美大島までの距離は約二〇〇キロで、荒海のため航行は多くの危険を伴う。南方との航海において、これらの島々は船の重要なよりどころとなってきた。近海を流れる黒潮海流の影響もあり、この島々は交易の通り道となっていた。そのことから柳田國男はこれらの島を「海上の道」の島々と名付けている。地理学では「トカラ列島」と呼ばれる。「列島」の英語は"island chain"で、島々がひとつの環状素子で線状の「鎖」に固く結ばれ、一体を成しているからである。

だが「鎖」と異なり、「トカラ」は奄美や九州にはない特質があり、各島々もまた固有の特徴を多く持っている。そのため、トカラをこの二つの間の「境界」として捉えることもできる。例えば、アダンという植物は、沖縄のマングローブと共生していることで知られているが、その分布域はトカラまでであり、以北は見られない。さらにクロマツは日本本土の植物でその分布はトカラまでで、それ以南はあまり確認されない。このように、トカラを二つの生態圏の境界として捉えることができる。亜熱帯と温帯の境界とも言われ、日本では生物学者の渡瀬庄三郎の名前をとり「渡瀬線《わたせせん》」と呼ばれる。

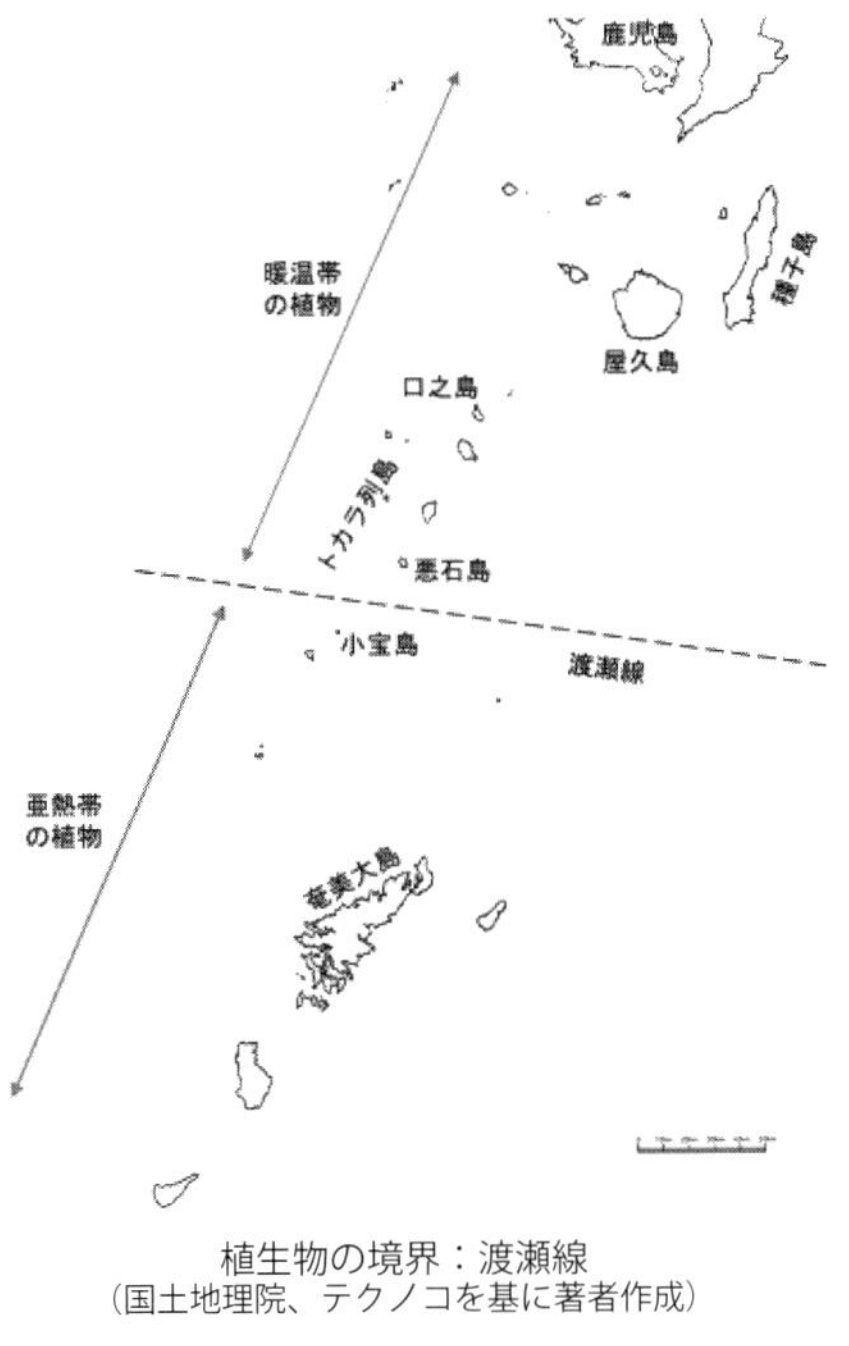

植生物の境界：渡瀬線
（国土地理院、テクノコを基に著者作成）

トカラ列島には近世以来、吐噶喇の字があてられてきた。『日本書紀』や他の古典のなかでは「吐火羅国」などさまざまな字で記されている。明治以降、これらの島々は十島《としま》と称せられることとなり、行政区域となり今日に至る。生活を営む「島」の数は名前の通り「十《とお》つ」になっているから「十島」であろう。しかし、十島にはこのような島は「七つ」しかないのである。なぜ「七つ」の島を「十島」と呼ぶのだろうか。その経緯をたどると、十島も「十《とお》」の島から成り立っていたことがわかる。「七つ」の島になったのは、「戦後」になってからである。つまり、「十島」という村は太平洋戦争のあとに二つの村に分断されたのである。北には十島の三島、南には十島の七島となったのである。ひとつの「村」を分断させた、辛辣な戦後「処分」にはどのような理不尽な経緯があったというのだろうか。

太平洋戦争と北緯三〇度線

十島の分断の起源は日本と米国の太平洋戦争をめぐる作戦構想にある。これは「海上の道」、「渡瀬線」そして「陸上の境界」の論理を組み合わせた「軍事版」の地図上の境界にある。トカラには日本軍も米国軍も注目していた。それぞれに別の理由があるが、両国はトカラのほぼ同じ境界線に戦略的な構想を展開していた。日本の場合、南方への連絡路の防衛と本土防衛を分ける境界となり、これは三〇度線にあった。ただし、上述のようにこの境界線は口之島で陸上の境界となるため、不都合を避けるように大本営はこの境界を三〇度線一〇分に設置している。沖縄を本土防衛から「切り捨てる」第一歩だった。

一方、米国も北緯三〇度線に注目していた。話は一八九八年のスペインとの戦争までさかのぼる。この時期から米国は対日戦争への備えを構想することになり、これは一九一一年以降の「オレンジ計画」に結実した。米国は、対日戦争で日本本土を占領することが難しいと判断し、日本を近海で包囲することを目論み、その基点が奄美大島と九州の間にあった。太平洋戦争が勃発する一〇ヶ月前、一九四一年二月に英国とカナダとの防衛交渉の一環として北緯三〇度線は米軍の対日作戦区域の北限となっていた。日本も米国も、異なる理由と利害を持ちながら同じ境界線に着目したことがわかる。

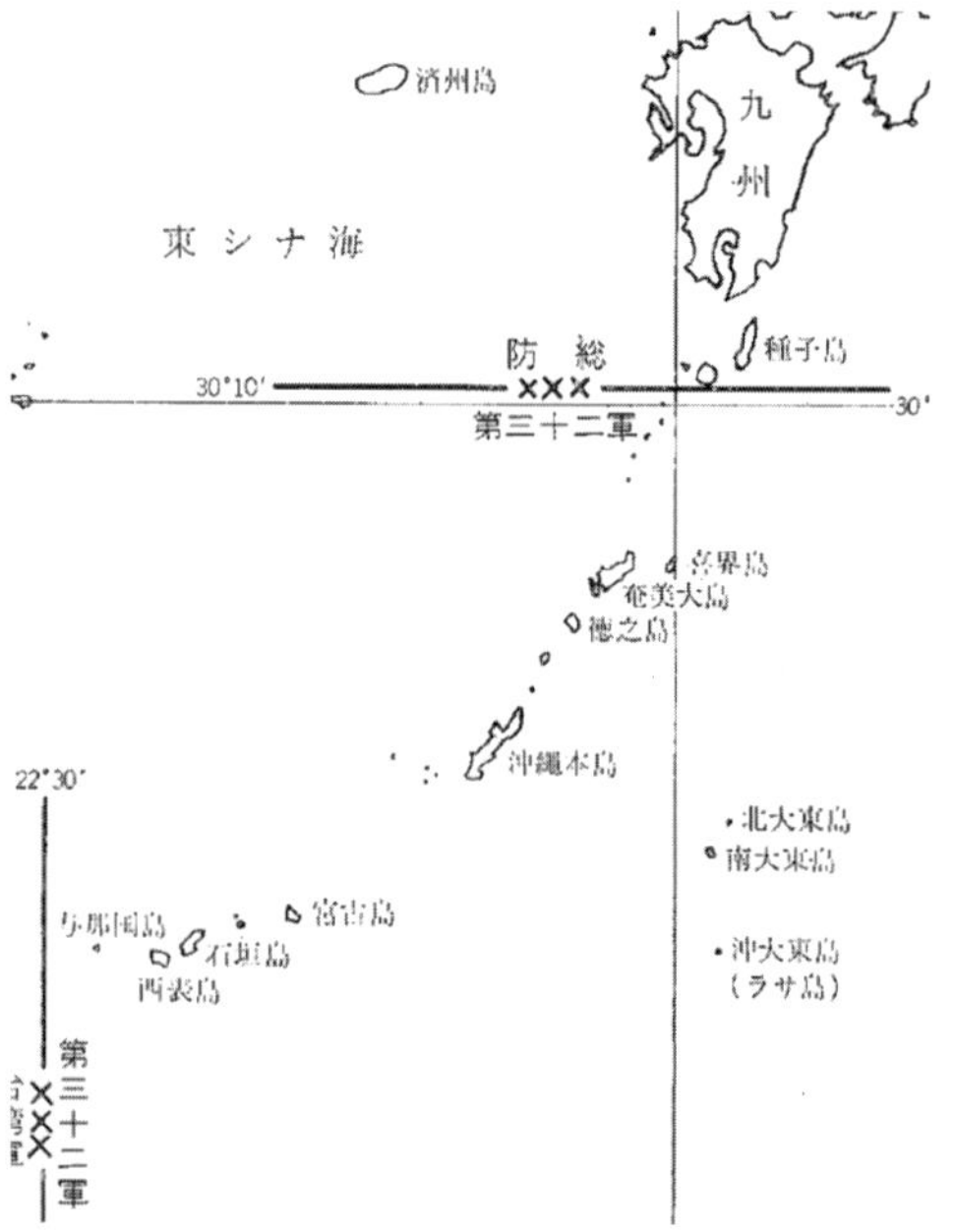

1944 年 3 月 22 日に新設された第 32 軍の境界
（防衛庁防衛研修所戦史室『沖縄方面陸軍作戦』22 頁を参照）

幻の北緯三一度線と終戦の地図に刻まれた北緯三〇度線

太平洋戦争が勃発したあと、戦線は南太平洋に移動し、オーストラリアの手前まで引き延ばされたため、初期の計画で描いた境界線には深い意味はなかった。この境界が再び復活するのは、沖縄戦が始まってからである。沖縄戦の準備をしていた米国が戦略地図のなかに「アイスバーグ」（氷山）という名前を書き込んだ。沖縄本島が作戦の焦点だったが、その一環として奄美や八重山などの離島の占領を検討しており、予定されていた離島上陸の北限は喜界島だった。当初の作戦では明確な境界は引かれなかったが、海洋圏と陸上圏を分ける北緯三一度線は自然な防衛線であり、「海上の道」の北端とも言えよう。翌一九四六年に米政府内で南西諸島の信託統治案が浮上した際、異なる文脈ではあるが、北緯三一度線は一旦俎上に載せられた。しかしその後、北緯三一度線は忘れ去られ、幻の境界となった。

琉球降伏の境界線（コンペル『長い終戦』87 頁を参照）

沖縄戦における北限の問題は、日本本土に対する作戦、つまり「オリンピック作戦」が確定したときに再浮上し、その際、「アイスバーグ」と「オリンピック」両作戦の間の境界は北緯三一度線ではなく、北緯三〇度線と定まった。他方、日本軍が沖縄で敗北した六月二三日以降、離島に点在した日本軍の配属は再編されたため、北緯三〇度線はすでにその軍事的な機能をなくしていた。日本にとって、沖縄と鹿児島間の県境は異なるところにあり、その時点で北緯三〇度線は何の意味もなさなかった。

八月一〇日、日本政府がポツダム宣言を受け入れる旨を米国に通知したため、米軍が設定した北緯三〇度の境界は日本軍の降伏の境界線となった。離島に点在する残存部隊は米軍に降伏する必要があり、その際、北緯三〇度線以南の部隊は沖縄の占領軍に、以北の部隊は東京に上陸する占領軍に降伏することが決まった。いくつかの誤解が重なり、奄美守備隊は東京における降伏調印式の直前に沖縄占領軍に降伏する意思について回答を保留し、米軍では緊張感に満ちた空気が生まれた。九月二日の東京湾での調印式のあと、大本営がマッカーサーに打電し、奄美守備隊の沖縄での降伏を確約し、北緯三〇度線をめぐる緊張が緩和された。その後調整の末、九月七日に奄美司令官は海軍司令官や八重山の司令官とともに沖縄での降伏調印式に参加し、太平洋戦争に終止符を打った。

国家の再確認としての北緯三〇度線

降伏により戦争が終わり、日本本土や沖縄ではマッカーサーの下での占領が始まる。境界線をめぐる騒動は降伏調印でその意義が消え去ったはずである。しかしそうはならなかった。戦後処理は境界を再び浮き彫りにしたのである。戦争にあたって多くの将兵、軍属、民間人が各地に移動し終戦時にまた戻ることになる。

引揚・復員の事業に伴ったのは、内地がどこにあるか、また内地人は誰であるかという、国家の再確認の作業だった。この国家再確認作業の一環として浮上したのが境界線である。外地からの引揚げはこの再確認のきっかけを作った。とくに南西諸島に関して、そのような再確認は諸問題を引き起こした。沖縄や奄美は日本の島々であり、離島には日本の部隊が陣地を置いていた。これらの島は日本の一部であったため、そもそも海外からの引揚げ事業の対象となっていなかった。しかし、離島では部隊を長期間保持する食糧や設備はなく、人道的な観点から将兵のなかの本土出身者は日本本土に引揚げることとなった。さらに、将兵の引揚げにあたって、官僚や商人など、内地出身の人も引揚げの対象となった。この確認作業の一環として、内地は北緯三〇度線以北の地域と再認識された。

また、外地及び外地人を確定する作業も、国家と国境の再確認の契機となった。戦時中、労働力を担う男子は兵役で国を離れていたため、国内の労働力の不足を補うために離島や外地から多くの労働者が内地に配置された。このような人びとは朝鮮、台湾、中国、東南アジアや南洋諸島から来て

奄美への引揚げの写真（米国立公文書館 RG 554）

いた。日本に配置された徴用工や軍夫は、戦争が終わるとともに故郷に戻されることとなった。送還作業にあたって、国籍や帰国希望の調査が必要となった。そのような調査には南西諸島の人々も含まれていた。沖縄や鹿児島の人びとは当然日本人だった。戦時中の日本では多くは炭鉱労働者や軍需産業の労務者として動員され九州など本土各地で作業にあたっていた。これらの事業は戦争の終結とともに打ち切られ、臨時動員されていた労務者は解雇され、故郷に戻ろうと引揚港に集まっていった。また、戦時中に本土に疎開した家族や学童が戦後になり帰郷を希望していた。

故郷に帰る要求に直面した占領行政は、北緯三〇度線以南の人びとを非日本人及び琉球人と指定し、引揚げの必要性を正当化するようになった。これを切っ掛けに北緯三〇度線は軍事境界線から民間境界線に変貌し、国民と国家の再定義が二重の面で行われることとなった。

大統領の命令に背いた最高総司令官

北緯三〇度線をめぐって逸話がある。それはマッカーサーにまつわるものである。軍の司令官は大きな権力を持つ。しかし、司令官の上にさらに大統領がいて、司令官は大統領の命令に背くことができないのである。九月二日の降伏は、南西諸島における米軍と日本軍の瀬戸際の交渉に留まらなかった。このような対立は米軍のなかにもあったのである。具体的には太平洋の陸軍と海軍の間における覇権闘争だった。そもそもの対立は戦前の太平洋防衛についての意見相違にさかのぼり、その溝は深かった。

当時、ハワイを重要視する海軍の主張が主流とされて、フィリピンの防衛を訴えていたマッカーサーの主張は傍流だった。太平洋戦争の末期、日本をどのように攻めるかで海軍と陸軍の作戦は再び衝突する。沖縄戦では海軍の指揮が優先されたが、日本上陸の「オリンピック作戦」において陸軍のマッカーサーに白羽の矢が立った。そこで、沖縄戦が六月二三日に終結したあと、マッカーサーは沖縄の区域も対日作戦に編入されるべきと訴え、八月一日に沖縄をめぐる指揮が海軍から陸軍に移った。その僅か九日後、太平洋戦争は終結したため、海軍が沖縄の指揮を取り戻そうとし、大統領のお墨付きを得た。しかし、マッカーサーが大統領から受けた基本指令のなかの沖縄に関する条項を大統領の了解を得ることなく修正し、自らの領域に付け加えた。この変更について、海軍提督のニミッツは三週間後に新聞報道から知り、陸軍の独断行動に憤慨した。しかし、これだけでは北緯三〇度線は浮上しない。マッカーサーはニミッツに謝罪し、調整の末南西諸島における軍政業務を海軍に移管した。この移管こそ火種となったのである。

結局、占領全般は両方の領域でマッカーサーの傘下に入った。しかし、住民に対する占領行政は陸海軍で分離され、陸海軍間の別れ目の境界が北緯三〇度線となった。海軍の軍政はその後、奄美に適用されるにあたって、米軍占領を告げるニミッツ布告には修正が行われ北緯三〇度線の文言が追加された。紆余曲折の末、終戦から約半年後、一九四六年一月二九日に口之島を含む北緯三〇度線以南の南西諸島は朝鮮や台湾と同様、日本本土から分離された。奄美でよく知られる「二・二宣言」の源流はこの終戦時の取引にあったのである。

「逆コース」に便乗しなかった境界

終戦から三年、日本も沖縄も社会の様相が大きく変わっていく。日本ではポツダム宣言を盾に民主化が進み、憲法をはじめ大胆な政治や法体制の改革が行われた。経済の非軍事化の一環として労働運動の自由化、農地改革や財閥解体が進行した。他方沖縄や奄美において、戦時中に民主主義の「ショーウィンドー」とされていた政策は日本の降伏とともに水泡に帰し、戦前体制への回帰が優先され、生活の再建も、政治や経済の復興も遅れるばかりだった。

この時期になると、米国が平和条約と占領の終結を検討するようになるが、世界情勢も揺れ動いていた。東欧や南欧の国々が次々とソ連の衛星国となり、朝鮮半島やベトナムでも共産党は力を伸ばしていた。さらに、中国での内戦は国民党に不利に動き、米国では「中国の喪失」が口々に叫ばれることとなり、国内で共産党への恐怖と左翼狩りが始まる。米国は、占領した日本やドイツを失ってはならないと、自由と民主主義の果実を経済成長に求めることとなる。ヨーロッパではマーシャルプランが始動し、日本では改革路線から経済復興路線へと舵が切られる。この路線転換によりそれ以前の自由化改革の修正を余儀なくされ、日本では「逆コース」と呼ばれる。戦犯裁判が終わり、労働現場では「レッドパージ」が本格化することとなった。

路線転換の最たるものは、トルーマン大統領が再選されてから政策刷新の結果として誕生した国家安全保障会議の対日新政策、いわゆる「ＮＳＣ13」と呼ばれる。この政策は日本の経済復興を重要視する代わりに、「琉球」の長期保有を訴え、米軍基地の強化拡大を推し進めた。日本の解放の一環として、新たな境界線として浮上したのは北緯二九度線である。米軍において二九度線への変更は一九四六年から検討されていたが、一九四八年末に大統領の承認を経て新しい基本政策としてマッカーサーに伝達され、「逆コース」の根幹となった。しかし、北緯三〇度線はその後も変わらぬままであり、マッカーサーは大統領の命令に再び背を向いたかたちで、境界線の変更は「逆コース」の路線から消え去る運命を辿った。

朝鮮戦争と平和条約の境界、北緯二九度線

「逆コース」の始動から一年半経った頃、東アジアを揺るがす転機が生じた。朝鮮戦争の勃発である。戦後初めて国連安保理の決議を中心とした集団安全保障の始動だったが、国連軍の中心勢力はマッカーサーの第八軍となった。開戦時に一度は窮地に追い込まれたが、早々に姿勢を立て直した。ところが一九五〇年の年末、中国からの義勇軍の介入により事態が急変する。日本では、大戦中の反戦派だった芦田均《あしだひとし》は衝撃を受け、時の首相吉田茂《よしだしげる》への書簡のなかで第三次世界大戦の勃発に警鐘を鳴らし、「傍観は許されない」として国民の自主自衛を訴えた。

米国は自信を失い、国内で非常事態を発令し、軍は朝鮮からの完全な撤退を検討した。朝鮮半島の情勢の悪化に伴い、それまで折り合わなかった平和条約の日米の条件は、双方が受諾可能になった。吉田は、戦争が日本へ飛び火することを疑問視し、平和憲法の原則と再軍備の拒否を堅持する代わりに米軍の日本での基地の展開を容認した。

また、米国は無防備の日本を一方的に保護することを受けいれた。ただし、日本政府の条件のなかには南西諸島の主権存続も含まれていた。米軍は朝鮮戦争の出撃の拠点だった「琉球」を手放そうとはせず、主権回復のいかなる要求にも耳を貸さなかった。

しかし、日本の世論の反発をかわす狙いもあり、米国は五年前から用意していた北緯二九度線への変更を日本側に譲歩した。条約の骨子は一九五一年三月一二日に発表され、九月八日にサンフランシスコで調印式が行われた。報道はまもなくトカラ諸島に届き、返還への期待が高まった。しかし、発効まで半年余り、返還のための行政側の準備に時間がかかった。マッカーサーは一二月五日に七島の返還を発令したが、行政府間の調整は残っており、島々が戻るのはまだまだ先だった。結局、翌一九五二年二月一日に日本政府の政令第一三号に基づいて、七島に本土の地方自治法が適用され、本土復帰を果たした。

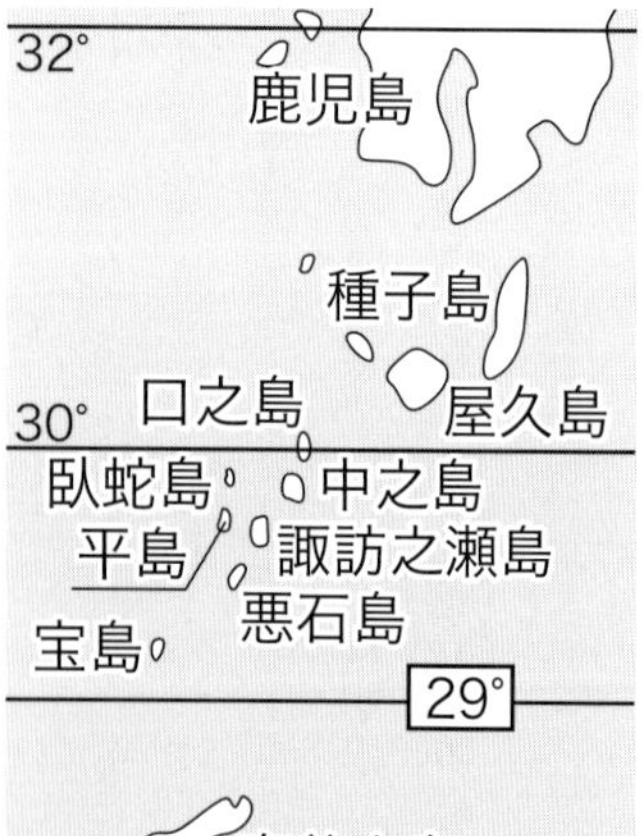

トカラ列島の返還と北緯 29 度線

「屈辱」の二七度線

　ここまではトカラ列島のさまざまな境界線を取り上げた。このほかにも北緯二八度線が浮上するが、この境界は奄美とは無関係である。日本の戦後史でもっとも人々の記憶に刻まれているのは、紛れもなく北緯二七度線である。この境界線は約二〇年間と長い期間置かれ、異民族支配の「屈辱」の象徴だった。北緯二九度と二七度の二つの緯線の間に挟まっているのは奄美群島である。奄美の返還が議題に挙げられたのは、平和条約の発効の前後である。発効の日は四月二八日で、沖縄では「屈辱の日」と呼ばれていた。条約の中に記された境界線は北緯二九度線だった。奄美及び本土ではさまざまな署名運動や決起集会が開かれ、北緯二九度線を二七度線に修正するようにと叫ばれていた。米国においても、平和条約によって復帰を呼びかける運動に勢いがついたとして、火消しの機会を捉えようとしていた。

　一九五三年にアイゼンハワー政権が誕生したが、同政権は復帰の熱に包まれた奄美を戦略的要所よりも統治のコストと考えるようになった。再検討の結果、同年一二月二五日に奄美を「クリスマス・プレゼント」として日本に引き渡すことにしたが、同時に「極東に緊張が続く限り」沖縄や小笠原を保持しつづけることも表明した。

北緯 27 度線における沖縄返還要求海上大会
（沖縄県公文書館所蔵、0000108914）

　奄美の返還は、米軍による南西諸島統治の延命の重要な実験台でもあった。平和条約の締結によって、米国は日本政府の「残存主権」と自国の長期統治の暫定性を認め、日本及び沖縄で親米的な保守派政権の維持により、南西諸島の統治を長期化できることとなった。これを成し遂げる手段は、二つの境界を操作することだった。一つの境界は、トカラや奄美にあるように、地理上の線である。一部の島を、鰹節のように少しずつ削って先に返還することで、日本での民族主義の高揚により保守派政権の政治的な課題を保障できるとの発想だった。末期の吉田政権のように、米国は地理的な境界線を移動することで親米保守派を延命できると確証した。これで「琉球」の統治も日本人に理解され、万全だと考えていた。

　もう一つは、統治体制の内部における境界である。米軍は一九五〇年に「軍政」を、軍人による「民政」に転換し、統制を少しずつ軟化することにより、沖縄の内部における親米保守派を維持できると計算していた。一九五二年に琉球政府行政主席の公選制を一度も実施することなく取りやめ、米国民政長官の任命制にした。その後、任命方式を徐々に修正し、復帰慎重派の候補が選ばれる仕組みを整えた。

　話をもう一度「屈辱の日」に戻そう。平和条約の境界線は北緯二九度線である。しかし、奄美の返還により、この境界は二七度線に引き下げられ、復帰運動の高揚により「屈辱の日」と結びつけられるようになった。その結びつきを象徴したのは、祖国復帰協議会など諸団体が一九六〇年代以降に実施した海上大会である。東京や大阪など、本土からの参加者は与論島に、沖縄からの参加者は北部の辺戸岬に集まり、前日に復帰祈願焚火大会を実施し、その翌日に乗船し北緯二七度線の海上で合流し、当時、多くの人に歌われていた「沖縄を返せ」を歌い、復帰貫徹の誓いを新たにした。大会が沖縄や全国で報道され、脱植民地化時代における共和国アメリカの支配の不条理さを訴えた。

おわりに――幻の「陸上」境界線

トカラ列島の口之島には不思議な石碑がある。北緯三〇度線の「境界標」である。設置されたのは二〇〇九年三月であり、石碑についての説明は少ない。同年度は奄美復帰五〇年の節目であり、復帰運動の記憶を継承する取り組みとして整備されたものと思われる（「鹿児島県議会会議録」、二〇〇八年六月一二日、教育長）。本章で取り上げたように、北緯三〇度線は「琉球降伏文書」や「二・二宣言」のように多くの資料に登場し、戦後史という鳥瞰図のなかで見れば魅力的な境界である。

口之島の北緯 30 度境界線の記念碑（提供：口之島出張所）

しかし、行政は近視眼的な見方をすることが多く、セリイ岬の付近で北緯三〇度線が陸を貫通することを見逃さない。日本陸軍の十号作戦準備はそのため北緯三〇度一〇分の線を優先し、米軍は「北緯三〇度線以南、口之島を含む」と書き加えているのである。行政権を左右する主要な公文書は陸上の境界を避けて描いているため、北緯三〇度の陸上線は「幻」の「境界標」となり、北緯二九度線や北緯二七度線とともに、戦争・終戦・戦後の「海上の道」の記憶を継承する上で重要な標《しるべ》であろう。

（コンペル・ラドミール）

コラム

映画フィルム「ニライの海」との出逢い

沖縄から奄美をつなぐコラムを書いてほしい。こう依頼された私は何が書けるか考えた。沖縄本島の北端、辺戸岬に立てば晴れた日には与論島が見える。そう奄美が「本土復帰」してから沖縄が返還されるまで、この間にある北緯二七度線が事実上の「国境」となっていた。米軍統治下にあった沖縄と日本が分断された象徴がここだ。サンフランシスコ平和条約が発動された四月二八日に、「祖国復帰」を願う人びとが与論と国頭からそれぞれ船をだし、洋上活動を開始した。一九六三年から六九年までこれは続く。

「祖国復帰運動」を記録した映画がある。この話を聞いたのは今から一〇数年前のことだ。当時、沖縄県公文書館の地域資料収集を担当していた私は、館長から呼び出され、一枚のメモを渡された。ある映画会社の倉庫に「ニライの海」「はまうり」というアルミ缶に入った沖縄関係と思われる映画フィルムが見つかったと（在京のカメラマン&プロデューサー・故上地完道《うえちかんどう》による情報提供）。だが会社によれば、預かった経緯がわからない。公文書館でフィルムの内容や著作権を調査し、可能なら館で引き取ってほしいと。いかにも沖縄的なタイトル。すぐにわかるだろうと軽い気持ちで引き受けたが、困難であった。

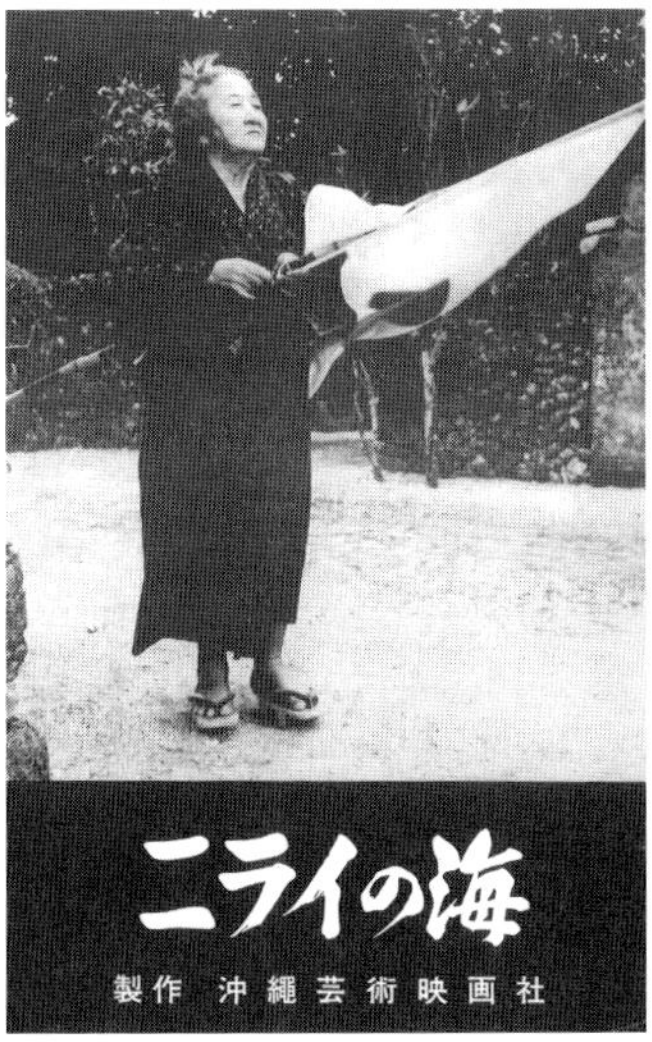

「ニライの海」（沖縄芸術映画社 1963 年製作）チラシより

「沖縄 はまうり」（沖縄芸術映画社 1964 年製作）チラシより

まず、沖縄の映画事情に詳しい友人に尋ねてみた。映画の存在は知っていても果たして沖縄でどの程度、上映されたかどうかも不明（記録では、一九六六年三月に石垣市で一度上映されている）。偶然にも、川崎市民ミュージアムの学芸員が調査に来館された。彼らが収集しているパンフレットなどの情報によれば、監督は奈良三郎（旧姓：安室孫盛《あむろそんせい》）でご子息が神奈川県在住だという。その後、安室孫盛は石垣島出身であり、戦前の一中（現在の首里高校）を卒業後、東京で教員となり、日本教職員組合の創設に関わり、社会運動を担った人物だと判明した（沖縄在住の教育史研究者による）。

彼は戦前、組合活動を理由に何度も投獄されたが、戦後は沖縄の日本復帰運動を主導したそうだ。安室は、映画を通して沖縄の現状を日本本土の人びとに訴えようとした。だが米軍統治下の沖縄への渡航許可は下りず、撮影は現地でほかのクルーが行い、そのフィルムをもとに東京で映画の編集を行っていた。現像所で見つかった映画フィルムは、そのときのものである。安室は警察に追われる身であり、いくつも名前を変え活動を行っており、「奈良三郎」もペンネームである。著作権や権利関係者を特定するのにかなり時間がかかった。

その後、関係者から、安室をよく知る人を東京で紹介される機会を得た。当時八〇歳になられた町田忠昭《まちだただあき》さんである。長野県出身の町田さんは、一〇代の頃、満州の農業実習に約三ヶ月参加した経験をもつ。一九五三年頃、二〇代で安室と出会い、影響を受け、行動をともにしてきたという。映画のことを尋ねると、町田さんは足元の大きな紙袋を取り出し、テーブルの上に資料を広げ始めた。それは、一九六〇年代からの沖縄の日本復帰運動に関する資料であった。とくに政府への陳情書や海上集会に関する趣意書、日比谷公園で配布されたチラシやパンフレットなど、本土の人びとが沖縄復帰運動に関わった記録資料が含まれていた。

この段階で、私はようやく「ニライの海」と「はまうり」が、本土の人びとによる沖縄の祖国復帰運動に関する映像フィルムだと理解した。映像を確認するために公文書館の予算でＤＶＤをつくり、内容を確認した。三五ミリと一六ミリフィルムでカラー撮影された「ニライの海」と「はまうり」は、一九六三年四月二八日に実施された第一回の海上集会の模様をはじめ、沖縄の伝統工芸や琉球舞踊、当時の米軍基地の様子を鮮やかに映し出していた。音声はなかったが、報道や写真、書籍などで断片的にしか知らなかったシーンが私のなかでひとつになった。安室は沖縄の歴史と文化を日本本土の人びとに訴え、知らせたかったのだろう。私が幼少時に過ごした石垣島での祖国復帰運動の情景が、映像と重なり、記憶が蘇る。

沖縄と与論の海上、北緯二七度線あたりで本土側と沖縄側の船が集会を行うという抗議集会や活動を当時の人びとはどのように計画し、どのように行動したのか。私はますます知りたくなった。公文書館から国立劇場おきなわに異動になった後も、私は安室を追い続けた。彼が撮影した「舞うれ、もうれ」、「世乞《ゆーく》いのうた」などを新たに収集し、寄贈していただいた。

この映像は、一九六九（昭和四四）七月一〇日～一三日、東京の国立劇場小劇場での「第六回民俗芸能公演」において「沖縄・宮古・八重山の唄と踊り」として公演されたときの記録映像と思われる。この公演は復帰前に沖縄の伝統芸能を広く本土側に紹介する国家的イベントであった。当時出演した関係者の話もうかがうことができた。関係者の話はこうだ。「復帰前だから、当然、沖縄からの出演者は全員がパスポートを持って渡航した。東京の国立劇場での公演では、フィナーレの挨拶の後、舞台の上の出演者と会場の観覧者全員が『芭蕉布《ばしょうふ》』を合唱している。沖縄

海上集会の模様（「沖縄はまうり」チラシより）

の復帰は正式にはまだ決定ではなかったが、復帰を間近に控えた在京の沖縄県人会の方々の熱気が伝わってきた」。実際の復帰より前に、沖縄の民俗芸能が「日本に復帰した日」であった。やがて沖縄の伝統芸能の「日本化」が急速に進められていく。振り返れば、この国立劇場での公演は「日本化」される前の沖縄の芸能を伝えた最後のものではないかと思う。

付言すれば、後日、私はこのフィルムの鑑賞会を浦添《うらそえ》で開催した。記録映像を東京国立劇場から借用し、二〇一一年八月三一日、浦添の国立劇場おきなわで「第二五回公演記録鑑賞会」として開催した。当日、宮古・八重山や名護からも関係者や遺族が来館されフィルムのなかに亡き両親の姿を見て懐かしがる人びとがいた。

私は次に、沖縄県文化観光スポーツ部に異動したが、安室のご家族や町田さんとの交流は深まっていった。上京の度に沖縄の復帰運動に寄せた活動の話をうかがうこともできた。もう一度、海上集会に参加してみたいと言われ、新聞社に頼みこむ。二〇一二年四月二八日、四三年ぶりにこれが実現した。そのとき町田さんはすでに八四歳。とはいえ、私と同行した五〇代の友人よりもお元気であった。二〇一九年三月、私が沖縄県立博物館・美術館を退職する直前、町田さんが収集された沖縄復帰関係資料を寄贈いただき、二〇二〇年度の新収蔵品展でこれを紹介できたことは喜びであった。

新型コロナのウィルス禍がなければ、九二歳になられる町田さんにお越しいただき、テープカットをしていただきたかったが、リモートで展示会場を紹介することしかできなかった。

私は今、糸満市《いとまんし》摩文仁《まぶに》の沖縄県平和祈念資料館で学芸員として勤務している。いつか町田さんとの出逢いや安室さんが撮影した映像についてきちんとした記録をつくらねばならないと考えている。

ところで最近、沖縄県の元知事公室長であった高山朝光《たかやまちょうこう》さんが回想録『ハワイと沖縄の架け橋――織りなす人々の熱い思い』を出版された。その著書に皇太子ご夫妻とお会いしお話したことが書かれており、美智子妃殿下が沖縄の映画「ニライの海」を鑑賞し、とても興味深い映画であったとおっしゃったくだりがある。私は、町田さんの資料にあった「ニライの海」を衆議院（別館六階）講堂や東宮御所でも上映したとのチラシを思い出した。沖縄でもあまり知られていない映画を、美智子妃殿下が記憶されていたことに驚いた。

来年、二〇二二年五月一五日で沖縄は復帰五〇年目を迎える。町田さんがお元気なうちに安室さんから託された「ニライの海」や「はまうり」の映像を沖縄県民に公開できればと考えている。

（久部良和子）

「石のうた」（沖縄映画プロダクション 1965年製作）チラシより
第8回ライプチヒ国際記録短編映画祭優秀賞受賞作品

コラム

米軍基地の島、沖永良部

奄美群島返還は一九五三年六月二五日、米国家安全保障会議（NSC）の場で決まった。返還をめぐって国務省と国防省（軍部）の激しい対立があったが、アイゼンハワー大統領は「レーダー局を確保」するためにだけ返還に反対する軍部の主張を退けたのである。「レーダー局」とは沖永良部島、大山米軍基地（知名町）のこと。半年後の一二月二五日、奄美群島は日本国へ返還された。

知名町は戦後二二年間、米軍基地の町（街）であった。一九五〇年一一月、大山頂上に沖縄の米軍レーダー部隊が進駐してきた。宮古島、久米島、与座岳《よざだけ》（糸満《いとまん》）とつながるレーダーサイトのひとつであった。この四つのレーダーサイトは一九七二年、沖縄の返還に伴って、自衛隊に移管されている。

沖永良部島の米軍基地、その姿はほとんど知られていない。戦後、奄美群島は戦前と同じく鹿児島県大島郡として存在していた。一九四五年一二月、沖縄島を統治していた米沖縄軍政府（海軍）は、奄美群島を占領下に置くことに反対を表明した。GHQ内部で激しい議論が行われた結果、米軍の日本攻略作戦において海軍の領域であった北緯三〇度以南の島々を日本政府から切り離し、米軍の直接支配下（軍政府）に置くことが決まった（一九四六年一月二九日、GHQ覚書）。

大山米軍基地、1952 年頃　（提供：知名町中央公民館）

その後も「領土不拡大」（大西洋憲章）の立場から琉球列島の返還を主張する国務省と、沖縄島の戦略的支配を主張する軍部との対立が続き、米国の沖縄政策は定まらなかった。一九四九年五月、米国は冷戦の激化を背景に沖縄島を長期保有することを決定した。同年一〇月、トルーマン大統領は沖縄に恒久的な基地を建設するため、五八〇〇万ドルの五〇年度予算に署名した。翌一九五〇年一一月、大山頂上に米軍が進駐し、基地建設に着手した。

米軍進駐後の島の様子は、沖永良部高校「学校日誌」から見えてくる。進駐の翌月一二月一〇日、高校敷地の地鎮祭が行われ、翌日には米軍ブルドーザー二台が出動し、造成工事を行っている。日誌には日本語を習うために高校を訪れる米兵や、米兵と高校生の野球試合など、米兵と高校生たちの親和的な姿が見えてくる。大山米軍基地は名瀬（奄美大島）の軍政府（海軍から陸軍へ移管）とは関係なく、空軍（嘉手納基地）の管轄であり、統治にはいっさい関わっていなかった。

一九五二年九月、毎日新聞は「北緯二七度半以北の奄美諸島」返還の可能性を報じた。北緯二七度半以北とは、沖永良部島と与論島を切り離し、徳之島以北の返還を意味する。両島では、激しい二島分離反対運動が展開された。二島分離報道は誤報とされているが、米軍部が大山レーダー基地の軍事的権利を維持したかった、という指摘もある。

返還協定交渉の過程で、日米政府は奄美群島における米軍の軍事的権利を認める「密約」を結んでいた。その「密約」の対象のひとつが、大山米軍基地であった。返還後、米軍がその軍事的権利を行使しようとしたところ、知名町民から激しい反発を招くことになった。

返還の翌一九五四年九月、福岡調達局（後の福岡防衛施設局）は米軍基地拡張（滑走路）を目的とした立入調査を、知名町に打電した。立入調査は基地周辺のことだと考えた町当局は、同意する。一九五五年一二月、立入調査の場所は基地周辺ではなく、西海岸（田皆《たみな》地区）であることが判明した。飛行機から物資を投下していた米軍は、西海岸に物資輸送用の滑走路と浮桟橋を建設しようとしたのだ。

大山米軍基地、1952年クリスマス（提供：知名町中央公民館）

滑走路予定地が農地であったことから、町議会と町長は福岡調達局に対して、「田皆の立入調査については絶対反対する」と打電した。田皆地区も「飛行場の設営に対して、吾等死を賭して反対する」（田皆地区部落民一同）と打電している。一九五六年一月、飛行場設営絶対反対期成同盟会が結成された。二月、田皆小学校に約三千人の町民が結集し、基地拡張に反対する総決起大会が開かれた。田皆区長は「これ以上、基地用の土地は残ってない。いま接収されようとしているのは私たち農民の最後の土地だ」と訴え、基地を横切る二〇キロにもおよぶデモを決行した。町民の猛烈な反発があったことから、三月、基地拡張計画は中止となった。

一九六〇年には米兵の傷害事件をきっかけに、町民七〇〇名が米兵の逮捕を要求して交番を取り囲むという事件も起きた。私が生まれた年である。そのほかにも米軍と町民のトラブルはあったにもかかわらず、日常的には米軍と町民は親和的であった。基地内には町道が走っており、町民は自由に通行できた。基地内は小中学校の遠足の目的地でもあり、町民の憩いの場でもあった。

米軍時代（一九五〇～七二年）の後半は、ベトナム戦争の時代であった。レーダー基地という後方部隊であったことが、町民に「戦争」を感じさせなかったのかもしれない。

大山米軍基地、1954年（提供：知名町中央公民館）

米軍基地拡張を阻止した、沖永良部島。沖永良部高校の敷地整備に使われた米軍ブルドーザー、沖縄では土地強奪のために使われていた。いわゆる〝銃剣とブルドーザー〟の時代である。

一九五五年前後、沖永良部島は「日米安保条約下の日本」であったが、南六〇キロ先には「対日平和条約第三条下の沖縄」が見えた。安保条約は日本全土に軍事基地を置く権利を米国に与えていたが、日本政府は憲法（戦争放棄）の制約の下でしか軍用地を提供することはできなかった。一方、対日平和条約第三条によって米国の占領下に置かれていた沖縄では、憲法は適用されず、一片の軍命令（布告）によって、土地強奪が行われていた。

（前利潔）

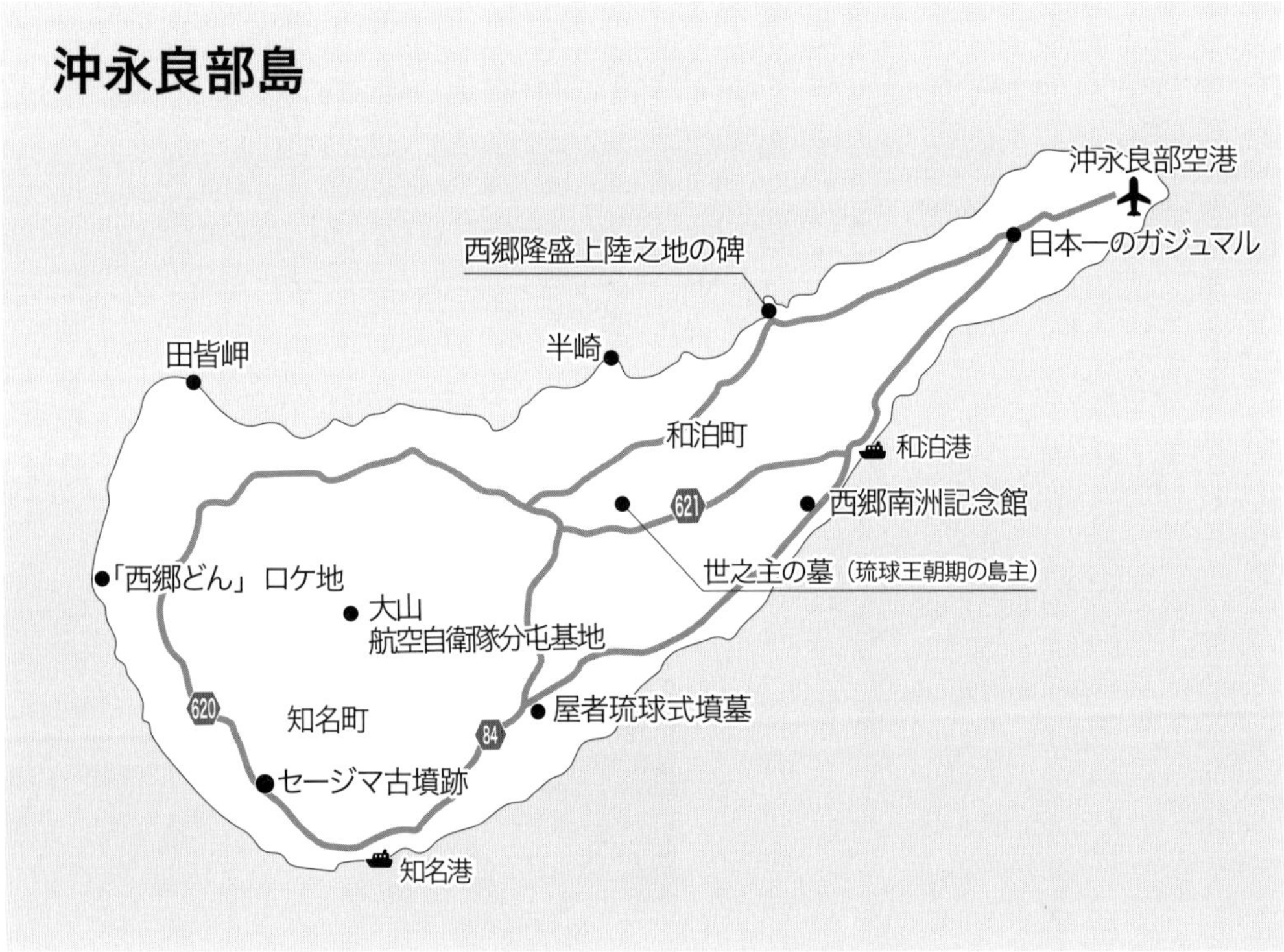

Ⅳ　復帰後奄美のボーダーと社会

はじめに――コロナ禍のなかで

二〇一九年の年末、中国の武漢から始まった新型コロナウイルスの感染拡大は、あっという間に国境を越え、パンデミック（世界的大流行）へとつながっていった。日本においてもまた、二〇二〇年の一年間に三次に及ぶ感染急拡大が生じ、私たちの暮らしとそれを取り巻く社会や政治のあり方も一変することとなった。

このような新型コロナウイルス感染拡大のなかにあって、危機感を強めた地域のひとつに離島地域がある。一般的に医療保健体制が不十分な過疎地域にあっては、感染拡大の波が押し寄せた場合の対応が危惧されてはいたが、本土地域と海で隔てられた離島の場合には、陸続きの過疎地域と異なり、感染者の移送や医療チームの派遣など、海を越えた対応を迫られることとなる。そのため、島内外の人の移動について、極めて敏感にならざるを得ないのである。これに加えて、奄美群島の場合、鹿児島県本土と沖縄本島の中間に位置しており、群島最南端の与論島は、沖縄本島最北端の辺戸岬を天気の良い日には肉眼で見ることができる、二二キロの距離にある。

与論島で、新型コロナウイルス感染症のクラスターが発生したのは二〇二〇年七月下旬のことだった。七月二三日に鹿児島県が

晴れた日には沖縄が見える

与論島での「クラスター発生の可能性」を発表し、八月七日までに五六人の感染者が確認された。クラスターが収まったあとの『南日本新聞』紙上での与論島におけるクラスター発生とその対応についての検証記事は、患者の搬送について「七月二三〜三一日に海上保安庁、沖縄の陸上自衛隊、鹿屋の海上自衛隊の協力で、計八回、四九人を搬送した」という県統括ＤＭＡＴとして対応に関わった医師の発言を紹介している。

実は、クラスター発生の初期段階における七月二四日には、一〇人の感染者が鹿児島県の災害派遣要請を受けた沖縄の陸上自衛隊ヘリによって奄美大島に搬送されているが、医師によれば「沖縄搬送も検討したが、沖縄でも感染拡大が予想されたため、奄美大島と本土への搬送となった」という。つまり、仮にこの時期の沖縄での感染拡大状況が深刻でなかったならば、奄美大島や鹿児島県本土への移送ではなく、沖縄への移送により重心が置かれた可能性もあった。与論島でのクラスター発生をめぐる一連の事態のなかで垣間見えたものは、行政区画上は鹿児島県最南端にある与論島が、距離という点ではるかに沖縄本島に近いという単純な事実である。

一九五三年一二月の日本復帰後の奄美群島では、沖縄とのつながりが頭をもたげることがしばしばあった。奄美の復帰運動は、とくにその終盤において「奄美は琉球ではなく日本」という主張を強め、自らを沖縄と切り離しヤマトに同一化することを通じて早期復帰を実現した。復帰後の奄美を襲ったのは急激な「本土化」の波だった。しかし、押し寄せては引き、引いてはまた押し寄せる「本土化」の波の合間に頭をもたげる「沖縄と奄美」のつながり。この点に注目して復帰後奄美に垣間見える「沖縄—奄美」問題とその背景について見ていくことにしよう。

復帰後の奄美と沖縄

まず復帰後の奄美と沖縄の関係について見てみよう。周知の通り、沖縄に先駆けて奄美が復帰を実現したのは、激しい復帰運動の展開があったから、という理由だけではなかった。何よりもまず、奄美は米軍にとって軍事的な意味での利用価値がそれほどなかったのであり、奄美の復帰運動自体、運動の途中から沖縄と一緒になった復帰ではなく、奄美単独の復帰へと舵を切っていったのである。その過程で、沖縄と奄美の「違い」、つまり奄美は元々「日本」「ヤマト」だったという民族主義が強調された。アメリカにとっては、奄美の復帰運動を放置することにより、それが沖縄に飛び火することが危惧され、その結果、一九五三年一二月という早い段階での奄美の復帰が実現したのだった。

復帰のうた

以上のような奄美の復帰につ

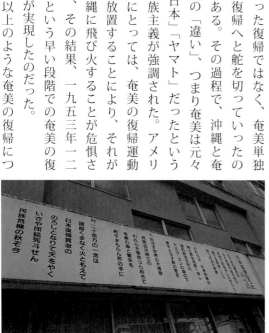

いての通説的理解であるが、奄美―沖縄の関係はより重層的であったことを近年の研究は明らかにしている。代表的なもののひとつとして、奄美共産党と沖縄における労働運動・土地闘争との関係に光をあてた森宣夫《もりのぶお》の仕事を挙げることができよう。

さらに、奄美と沖縄との複雑な関係を照らし出す存在として「在沖奄美人《ざいおきあまみじん》」問題に光をあてた土井智義《どいともよし》の一連の研究は、今後の奄美―沖縄研究の方向性を指し示すものとして注目すべきものである（巻末の参考文献を参照）。米軍統治下時代、奄美からは多くの人びとが沖縄に移動し、その彼ら・彼女らが奄美復帰後にも沖縄に残り「非琉球人」として非常に厳しい環境のもとに置かれた。その数は四万人とも五万人とも言われている。従来からその存在は知られていたものの、日米両政府、米軍、琉球政府などの資料の丹念な調査を通して、「在沖奄美人」問題が有する多面的な性格を明らかにしたのが土井の研究である。

復帰記念像（名瀬）

　土井によれば、「在沖奄美人」への対応は、「在沖奄美人」が沖縄の復帰運動に刺激を与えるという政治的考慮のみならず、沖縄社会の治安・社会防衛という観点からも進められた。すでに奄美復帰以前の段階で、指紋押捺を含む登録制と強制送還の構想が琉球政府内で検討されたという。それは、沖縄社会における「琉球人」と「非琉球人」の間の線引きの試みであった。その背後には、アメリカの植民地主義的及び軍事的観点からの統治の論理が存在するとともに、「米国側の下請け機関」として位置づけられていた琉球政府が、「日常的に『非琉球人』を管理する局面にあっては」「一定程度の『自主性』」を発揮して行われた「非琉球人」への差別的・抑圧的な出入国管理政策をとっていたことを意味していた。「非琉球人」のなかには先島諸島の人びとなど奄美出身者以外も含まれていたが、圧倒的多数を占めたのが在沖奄美人だった。一九七二年の沖縄復帰まで在沖奄美人への差別・抑圧政策が持続するが、土井によればその概略は次のようであった。

「指紋押なつや在留許可証の常時携帯の強制といった人身管理面だけではなく、参政権や琉球政府職員への就官が認められないなど民立法においても差別的な処遇を受け、さらに金融機関からの融資や日本政府の国費留学からも排除されるなど、様々な市民権が制限されるという困難に直面することになった。」

　土井の研究が示唆するのは、国境や県境といった行政区画上のボーダーの背後に潜む、差別・抑圧につながる人為的ボーダーの存在である。「在沖奄美人」問題は、そのことを照らし出している。

　こうした「在沖奄美人」問題は、沖縄の復帰運動に対する奄美側の対応のなかでも浮上することになるのであるが、次に沖縄の復帰運動と奄美の関係について、小野百合子の研究に依拠してみていくことにしよう。

　小野によれば、沖縄における復帰運動の高まりに対して奄美での受け止め方は総じて低調だったという。沖縄の復帰運動が高揚する一九六〇年代後半、沖縄・奄美・小笠原が分離された講和条約発効の日である四月二八日に、本土代表団と沖縄代表団による海上交歓会、その前夜祭として与論島と沖縄本島最北端の辺戸岬でのかがり火集会が行われていた。そのため奄美の労働団体や民主団体は、本土からの代表団の宿泊先の準備や船の手配などを引き受けるようになり、「本土における沖縄返還運動の担い手」になっていった。とはいえ、奄美において沖縄の復帰運動への本格的取り組みは、一九六七年一一月の沖縄返還奄美郡民会議の結成を待たねばならなかった。奄美における沖縄返還運動の特徴を小野は三点指摘している。

天城町役場

　第一は、運動が奄美の復帰運動の記憶とリンクしたかたちで行われたことである。郡民会議は、発足の一ヶ月後の一二月二五日、「奄美復帰をしのぶ会」との共催で「奄美復帰一四周年記念・沖縄返還要求郡民のつどい」を開催するなど、地元で薄れつつあった奄美復帰運動の記憶を喚起することを通して、沖縄復帰運動を盛り上げるエネルギー源にした。

　第二の特徴は、在沖奄美出身者の差別問題への取り組みである。鹿児島県議会に対する調査団派遣要請、差別撤廃の決議要請、沖縄への奄美出張所設置要請などを行っている。

　三つ目は、名瀬市での全国大会開催の試みである。この間、社会党系の沖縄返還要求国民運動連絡会議と共産党系の沖縄返還要求中央実行委員会に分裂していた本土の運動に対して、本土代表統一実行委員会を発足させ、同委員会と沖縄県祖国復帰協議会、沖縄返還奄美郡民会議三者による共催を試みようとした。結局大会開催は実現しなかったものの、四月二七日に名瀬港で郡民会議主催の本土代表歓迎会が行われた。この郡民会議の試みは「中央の沖縄返還運動の分裂状況に対する異議申し立てであり、中央の運動を『統一』させることで沖縄返還運動のすそ野を広げようとする試みでもあった」と小野は評価している。

　こうした奄美群島現地での運動以外に、奄美の復帰運動関係者によるもうひとつの動きを小野は紹介している。金井《かない》正夫《まさお》を発起人とする沖縄県復活促進国民協議会である。金井は、奄美の復帰運動に際して、講和条約三条撤廃というスローガンのもとでの沖縄も含めた復帰運動ではなく、日米協調体制を前提とした奄美の単独復帰へという復帰運動の方向性の転換に大きな影響を与えた人物だった。沖縄復帰も奄美復帰にならい、日米の話し合いによる返還、核基地撤去を要求しない早期返還を主張した。郡民会議が奄美の復帰運動がその初期に掲げた理念に立ち戻ろうとしたとするならば、金井らの動きは、実際の奄美返還の方式を踏襲するものだったと言えよう。

　しかし、先に指摘したように復帰時の奄美が米軍にとっての軍事的利用価値が乏しかったことが、金井らの「現実主義」的復帰方式を後押ししたのと異なり、沖縄は、米軍の戦略的な拠点として軍事施設が密集し、また、ベトナム戦争への出撃基地として稼働していた。米軍による支配は、異民族支配というだけではなく、住民生活に多大な影響を及ぼす軍事の論理も含んだものであり、復帰運動はその両面における抵抗、反対の性格を有していた。その点では、奄美の復帰運動を最終的にリードした金井の考えを、沖縄の現実に直接当てはめることには、そもそもの無理があったと言わざるを得ない。

硫黄鳥島

次に、奄美――沖縄問題に関わる問題の一つとして硫黄鳥島問題を取り上げてみよう。

一九七二年、沖縄は日本に復帰した。日米の返還交渉では、密約も交わされ、平和憲法下の日本に復帰するという沖縄の思いが必ずしも実現したわけではなかった。むしろ、日本本土の米軍基地の整理縮小が進む一方、沖縄への米軍機能の集中が進められ、基地の重圧はより大きなものとなっていった。

当然のことながら、沖縄の復帰により、奄美と沖縄を隔てていた国境は県境へと変わった。米軍の軍事拠点としての沖縄と県境を挟んで隣接することになった奄美群島は、沖縄が抱える重い現実とも隣接することを意味した。そのことが表面化した出来事のひとつとして硫黄鳥島問題がある。

硫黄鳥島と言っても、知っている人はほとんどいないだろう。まず、この島の位置から説明しておこう。北緯二七度五一分七二秒、東経一二八度一三分三五秒にこの島は位置する。与論島と沖縄本島の間を走るのが北緯二七度線なので、硫黄鳥島は与論島よりは北に位置している。もっとわかりやすく言おう。硫黄鳥島にもっとも近い島はどこなのか？　答えは徳之島である。硫黄鳥島と徳之島の距離は約六〇キロしかない。ちなみに、かつての硫黄鳥島住民が移住した久米島と硫黄鳥島は約二〇〇キロ離れている。

硫黄鳥島の歴史を簡単に振り返っておこう。一六〇四年の薩摩藩の琉球侵攻以後も、この島は琉球王国のもとに置かれた。その理由は、同島が硫黄の産出地だったことによるという。一九〇三年の火山噴火により住民の多くは久米島に移住した。さらに、第二次世界大戦後の一九五九年に火山活動が活発化し、すべての住民が移住した。その後も島に残った採掘者も一九六七年に移住し、硫黄鳥島は無人島となった。現在も硫黄鳥島は、沖縄県島尻郡久米島町の行政管轄の下にある。

奄美復帰以前の一九五〇年、沖縄群島政府樹立に伴って設けられた沖縄群島議会には興味深い記録が残っている。同年一二月一四日に開催された議会定例会に、「鳥島の帰属及び名称につ

硫黄鳥島の紹介（徳之島）

いて」という群島知事からの諮問が図られ、その諮問の内容は「同島は歴史的、政治的及び文化の面から見ても沖縄群島に帰属するを適当と思料せられ尚名称は戦前より硫黄鳥島と呼称せられている」という理由から沖縄群島久米島具志川村《ぐしかわそん》に帰属する、というものだった。

南海日日新聞社

議会での審議のなかで、ある議員は「この島は緯度、経度から見ますと群島組織法に依て、大島政府管内に属するのですが、従来の歴史からいって、それから住民の関係、土地所有権いろいろな点から勘案致しました場合、やはり従来通り沖縄群島政府の所属にしていただきたい。名称を実際の固有名詞は字鳥島《あざとりしま》となっておりますが、俗称を尊重して硫黄鳥島《いおうとりしま》という名前にすることになっておりますが、現地の島の部落民並に議会、具志川村も一致しておるので諮問の原案どおり答申していただきたい」（「戦後初期会議録　第二回沖縄群島会議会議録（定例会第一号）」）と述べているように、群島組織法により沖縄、大島、宮古、八重山の四つの群島政府が成立したことから、硫黄鳥島の帰属問題が浮上したことがわかる。議会では、諮問内容通り、久米島具志川村への帰属、名称は硫黄鳥島とすることが承認されている。

硫黄鳥島をめぐる問題は、沖縄復帰を目前に控えた一九七一年にも生じている。ここからは、奄美のローカル紙『南海日日新聞』の報道を中心に、問題の一端を紹介していく。この年、徳之島の天城町から硫黄鳥島の譲渡要請がなされたのである。九月末の天城町議会は、硫黄鳥島編入のため「総力を結集する」という決議を採択した。そこでは「①鳥島は地理的のみならず歴史的、経済的にも天城町と深いつながりを有し、戦前においては住民の往来交易も沖縄本島より天城町との間でひん繁に行われていた、②同島の陸海空の交通網を整備し奄美における唯一の温泉保養地として観光開発を進めることができる」という二つの理由が掲げられたという。

この時期に天城町がなぜこのような要請を行ったのか、その理由は不明であるが、沖縄復帰以前、与論島をはじめ日本最南端の地域として観光客を集めていた奄美群島が、沖縄の復帰により最南端の地位を失うことによる観光業への打撃を危惧してのものだったのかもしれない。

しかし、天城町の要請は、立ち消えとなった。再び、硫黄鳥島が注目を浴びるのは、沖縄の復帰後の一九七〇年代末のことである。硫黄鳥島射爆場問題である。

硫黄鳥島に米軍の射爆場をという問題は、一九七六年七月に開催された日米安保協議委員会において、伊江島《いえじま》射爆場について、移設を条件に全面返還することが決められたことに端を発する。防衛施設庁※は、七七年から移転先候補について複数検討を始めたようであるが、なかなか進捗が見られなかった。その結果、当時の西銘順治《にしめじゅんじ》沖縄県知事は、七九年一二月の記者会見で硫黄鳥島を移転先にという考えを示した。

このニュースに対する奄美側の反応は素早かった。天城町長は大島支庁長に「硫黄鳥島を在沖米軍空軍の対地射爆撃訓練場とする動きの阻止について」の要望書を提出、同月二二日には、奄美群島水産振興協議会が、断固反対、中止を求める陳情書を、大平首相等に送付した。そして、同月二一日に開催された天城町議会、伊仙町議会でも反対決議を採択している。この問題は国会でも取り上げられ、一二月二〇日の参議院決算委員会で公明党の和泉照雄《いずみてるお》が質問している。

年が明けて一九八〇年一月、社会党の参議院議員、宮之原貞光《みやのはらさだみつ》と久保亘《くぼわたる》が奄美大島に来島し、記者会見で「射爆場については、防衛庁も沖縄現地からの切り替えにとくに反論はなく、このまま放置しておくと鳥島に移る可能性は十分ある。徳之島や水産関係のみの問題ではなく、群島民の問題として対処すべきだ」と述べている。一方、奄美群島区選出の代議士・保岡興治《やすおかおきはる》は「沖縄県内の構想段階と思う。鹿児島県や防衛庁、私のところには話は入っていない。いずれにしても漁業補償だけで解決できる問題ではなく、反対」と述べている。

この時点では、硫黄鳥島への移設がどこまで具体化する可能性があるのか、よくわからない状況だったと言えよう。しかし、西銘沖縄県知事の移設への意思が非常に強いことが間もなく明らかになる。すなわち、二月二〇日に開催された、沖縄県、那覇防衛施設局、米軍の三者連絡協議会の席で西銘は硫黄鳥島への移設の検討を要望し「沖縄県の強い要請を受けて同施設局は早急に硫黄鳥島の調査を行うことが決まった」のである。

硫黄鳥島射爆場問題に対する奄美側の反応は早かったものの、しかし、この時期に行われていた徳之島の核燃料基地問題のような運動の広がりを持ったものにはならなかった。「核燃問題に比べ婦人、青年団、議会など超党派の反対運動には至っておらず、現在のところ核燃問題に組み入れて反対の意志を表明しているのが実情」だったという。

反対運動に起ち上がったもうひとつのアクターがあった。かつての硫黄鳥島の住民とその子孫である。一九八〇年三月に入り、徳之島の三つの町議会議員は沖縄県庁に反対申し入れに行くが、そこに同道したのは「七獄会」という団体の会長だった。「七獄会」は、硫黄鳥島の元住民とその子孫がつくった郷友会組織であり、移住先となった久米島と那覇市につくられていた。結成は一九六九年二月一一日。当初は二〇〇人だった会員は、島に住んだことのない子や孫も加入し、この時期には千人になっていた。

会長の東江芳隆《あがりえよしたか》自身も親が硫黄鳥島で生活を営んでいたが、本人は移住後に生まれた世代だった。彼は、射爆場反対の理由を次のように語っている。「われわれの先祖が血と汗で築いた島を、無人島になったからといって、射爆場にしようなどとは、もってのほか。苦難の歴史を爆弾の雨で汚してはならない」。東江は、一九七六年八月に一三人で硫黄鳥島に行き三日間島を視察、翌

※米軍関係施設を担当する調達局と自衛隊関係施設を担当する防衛庁建設本部が合併し、一九六二年一一月に発足。七二年五月、沖縄の本土復帰に伴い九番目の防衛施設局として、那覇防衛施設局が設置された。

七七年八月にはカーフェリーをチャーターし六二人で再訪している。島の出身者・国吉浜子《くによしはまこ》（一九〇七年一二月生まれ）は、「交易は徳之島と板付舟で盛んに行われていた。温泉に入りたい、と訪れる奄美の人も多かった」と回想している。また、引き揚げ当時（一九五九年、第一次三七人、第二次五〇人）の区長・東江勉《あがりえつとむ》は「（奄美の）漁師などは、一緒に温泉に入ったり、島唄を口ずさんだり、兄弟のような付き合いだった」と回想している。弟の武夫も「祝の席では、初めに沖縄の民謡が出て、酔いが回ると大島の唄が出た」と言う一方で「地理的条件もあって、奄美との交易は盛んだったが、島民の心は沖縄に向いていた」と述べている。

さて、申し入れに対応した沖縄県労働渉外部長は「全国の米軍基地の五三％が沖縄に集中し、産業開発のあい路になっている。できるだけ基地を整理縮小するのが県の基本姿勢だ。国や米軍に射爆場の変換を要求中であり、どこにするかは国が決めることだ。県としては指図する立場にはない」というように、冷淡な対応だった。三月五日の沖縄県議会で西銘は『鳥島は無人島で被害も少ない』として、当初の方針を変更する意思のないことを明らかにした」。

奄美での反対運動に対応し、鹿児島県も反対に動き出した。四月に入り、県水産商工部長らが防衛庁に陳情を行い、「調査の実施にあたっては本県に対して事前連絡することを確約」してほしいと要望、防衛庁側が「基礎調査に対する本県の同意を求めたといわれるが、同部長はこれを断った」というように反対の姿勢を明確にした。那覇防衛施設局側は三月から本格調査に入る予定であったが、防衛施設庁側から「調査はしばらく見合わせるように」と指示されていたという。そうしたなか、四月一五日、県労働渉外部長、那覇防衛施設局施設部長ら六人がヘリで硫黄鳥島に渡り視察を行った。

以上のように、硫黄鳥島問題は、基地の整理縮小を進めようとする沖縄県とその要望に現地で対応する那覇防衛施設局が積極的に進めようとしていたのに対し、奄美群島とくに徳之島の反対運動、水産業関係者の反対運動、これらの反対運動に応じた鹿児島県の対応、そして、硫黄鳥島の元住民とその子孫によって構成される郷友会組織の反対などが起こった。そうした状況のなかで国レベルでは現地での調査にブレーキをかけたことに見られるように慎重な姿勢がとられていた。問題解決の糸口が見つからないなか、関係者を驚かす発言を行ったのが山中貞則《やまなかさだのり》だった。

五月一〇日に行われた県水産四団体総会において山中は「沖縄県知事、防衛庁、私の三者がこのほど話し合って、硫黄鳥島への移転を中止し、出砂島に移すことを決めた」と述べたのである。出砂島とは、那覇市の西北約五五キロのところに位置する入砂島を指す。ところが、この山中発言は、「防衛施設庁、沖縄県の事務レベルでは『全く聞いていない』と驚いて」いる状況、さらに西銘知事が「寝耳に水。そのような話は聞いていない」と「山中発言を全面的に否定する」というように、山中の勇み足の発言だったようだ。しかし、五月一四日の衆議院沖縄及び北方問題に関する特別委員会において、上原康助《うえはらこうすけ》による「硫黄鳥島も決まっていないですね。それから出砂島も決まっていませんね」との質問に対し森山武《もりやまたけし》（防衛施設庁施設部長）が「米側に出砂が適当であるというふうな意向があることは私も承知しております」、「硫黄鳥島の場合、そういう調査はしたいとは思っていますが、実際に調査はまだ何もしておりません」としたうえで「現在代替地は決まっておりません」（「第九一回国会　衆議院沖縄及び北方問題に関する特別委員会議事録第五号」）と答えている。山中の発言は、西銘ら沖縄県側の意向とは異なるアメリカの考えに沿ったもののように見える。この後、硫黄鳥島射爆場問題は沈静化していく。同年一〇月二三日に同委員会で上原は再び質問に立ったが、「具体的には進んでいないということですね」との質問に対し、防衛施設庁施設部主席連絡調整官は、「現在のところ、遺憾ながらそういう状況」（「第九十三回国会衆議院沖縄及び北方問題に関する特別委員会議事録第五号」）と答弁している。

　射爆場問題は立ち消えになっていくが、一九八二年に入ると、硫黄鳥島についての新たな計画が浮上した。米軍の空中戦闘技量評価装置（ACMI）問題である。この装置による計測を行う訓練海域をどこにするかが問題となった。一九八一年六月の日米安保事務レベル協議会でアメリカ側から要請があり、八月の日米合同委員会施設特別委員会においてアメリカから「検討の結果、硫黄鳥島周辺の空・水域が適当」との報告があったという。射爆場問題に続くACMI問題もまた、硫黄鳥島という地理的には奄美に隣接し、歴史的、経済社会的には沖縄に含まれた独特の島を媒介として浮上した問題であった。

おわりに

　復帰後の奄美の歴史のなかでこれまであまり触れられなかった問題について、近年の注目すべき研究成果を紹介するかたちで見てきた。もっとも精力的に研究を展開している土井智義の研究に見られるように、本土―奄美、本土―奄美―沖縄といった単純な図式では捉えられない、あるいはそうした図式では見落とされてしまう問題が復帰後の奄美の歴史には潜んでいる。復帰後の奄美の歴史については、批判的に捉えるか肯定的に捉えるかはともかく、もっぱら奄美振興開発事業（奄振）による奄美社会の変化を中心とした開発政治との関連で考察される傾向が強かった。復帰後の奄美の歴史を考えるうえで、私たちはそろそろこうした図式を見直す必要があるのではなかろうか。

　最後に、このような問題意識に立って、一九八〇年代に奄美群島を舞台に繰り広げられた保徳戦争に言及しておきたい。保徳戦争とは、自民党の代議士保岡興治《やすおかおきはる》、徳洲会病院を一代で築き上げ医療界の風雲児と呼ばれた徳田虎雄《とくだとらお》との間の熾烈な選挙戦を指す。復帰後の特別措置のひとつとして、奄美は奄美群島区という一人区の選挙区で選挙が行われた。中選挙区制の時

寿事務所

代のなかでの唯一の小選挙区制による選挙が展開されたのである。このような復帰がもたらした独特の選挙区というボーダーの存在が、保徳戦争を生み出す要因となった。

一九七〇年代を通じて盤石の地盤を築きつつあった保岡に対する挑戦者として登場した徳田は、医療面での離島苦とそこからの脱却をアピールした。田中角栄が、戦後直後から高度経済成長の時期にかけて、開発から取り残された「裏日本」の心情を巧みに吸収し自らの支持基盤とした政治家であるとしたら、徳田は、日本が少子高齢化の時代に進みつつあるなかで、医療福祉の面で切り捨てられた離島住民の心情を吸い上げることにある程度成功した政治家だったとみなすことができるのではないのだろうか。また、父親が奄美大島宇検村《うけんそん》出身であるものの自身は本土で育った保岡に対し、徳田は高校時代の途中までを徳之島で過ごした。天城町長を務め、まさにこの「戦争」の時代を体験した寿洋一郎《ことぶきよういちろう》によれば、この経歴の違いが、群島内での大島中心主義に対するほかの島々の反発・対抗意識とも結びつき、徳田の選挙運動に土着主義的性格を賦与することになった。

そしてもうひとつ興味深い点は、離島医療を志していた徳田が、本土以外に最初に病院開設にこぎつけたのは奄美ではなく沖縄だったことである。沖縄の南部徳洲会病院ができたのは一九七九年、奄美で最初の徳洲会病院が徳田の地元・徳之島にできたのが一九八六年である。保岡と徳田の最初の国政選挙での対決は、この二つの病院開設の中間の一九八三年のことであった。現在の徳洲会グループのホームページのトップページを見ると、徳洲会における地域区分は、「九州・沖縄」でもなく「九州」と「沖縄」でもない。「九州」と「離島地域」となっており、後者には、屋久島から沖縄までの島嶼地域が含まれているのである。保徳戦争の一面には「本土」の田中政治と結びついた「中央とのパイプ」に依存する政治に対する、沖縄を含む南の島嶼連合との対抗という性格もあったのではなかろうか。

復帰後の奄美の歴史には、まだまだ未見の、あるいは未検討の諸問題が存在するのであり、それはまた、一地域の問題というよりも、私たちが暮らす社会、国家、さらには世界を考える際のヒントを与えてくれる素材でもある。

（平井一臣）

コラム

島を出た人びとの話

観光の島と集団移住

すいこまれるような青空が広がり、高台から海岸線を望めば、植生の緑と石灰岩の黒色、そして砂浜の白さが入り混じるように島を縁取っている。沖合には島を取り囲むリーフが見え、その内側はエメラルドグリーン、外側は濃い群青色の海がコントラストをなしている。照りつける太陽の熱を払うように、そっと風が通り抜ける。夏場にこの島を訪れた人びとは、こうした景色を味わうことができるだろう。ここは、奄美群島の最南端に位置する与論島である。

与論島（提供：与論町役場商工観光課）

与論島は、現在では観光地として知られている。もっとも、観光地としての最盛期は一九七〇年代半ばから一九八〇年代半ばまでで、ピーク時には一五万人を超えた年間入込客数は、二〇一八年時点で七万人弱と、ピーク時の半分以下にまで減少しているのだが（与論町誌編集委員会編、一九八八年及び二〇一九年度「町勢要覧」）。とはいえ、現在でも観光が島の主要産業であることは疑いようがないし、島外の人びとが与論島を知るきっかけとしては、観光がもっとも多くなるだろう。

観光地と聞くと、外から人びとが訪れる場所をイメージするかもしれない。しかしながら、島の人口に注目してみると、実際には島を出ていく人びとの方が多い。二〇一九年度「町勢要覧」には、一九九八年から二〇一八年までの人口動態が記されているが、社会動態のなかで転入が転出を上回っているのは、一九九九年、二〇一一年、二〇一二年、二〇一五年の四年間のみである。理由は色々と考えられるが、観光と並ぶ島のもうひとつの基幹産業である農業を考えた場合、周囲二四キロメートルに満たない小さな島では、利用可能な土地が限られてしまうことが大きい。また、台風の常襲地帯であることから、自給作物の少ない島の状況下では、台風の襲来が飢饉へとつながり、それが人口流出の内圧として働くこともあった。

与論島を訪れたら、島の高台にある地主《とこぬし》神社と琴平神社を訪ねてみてほしい。その境内には、四つの記念碑が建立されている（六三頁の写真参照）。中央に位置するのは、一九一〇年に建立された戦没者のための忠魂碑であるが、それを挟むように配置された三つの記念碑には、島を出た人びとの記憶が刻まれている。それらのうち二つは長崎県口之津《くちのつ》への集団移住に関する、もう一つは満州開拓移民団に関する記念碑である。口之津への集団移住については、森崎和江《もりさきかずえ》・川西到《かわにしいたる》『与論島を出た民の歴史』に、満州開拓移民団については、福石忍《ふくいししのぶ》（南日本新聞社編）『与論島移住史』に詳しい。これらの著作をもとに、二つの集団移住について紹介したい。

長崎県口之津への集団移住

口之津への集団移住は、一八九九年に第一回が行われ、その後も繰り返し募集が行われた。最盛期には、家族も含めて一二二六名の与論島民が口之津にいたという。これは、当時の与論島の人口のおよそ五分の一に相当し、移住団の団長を務めたのは当時の戸長や娘婿であったから、まさに島を挙げての集団移住であった。

当時、口之津は三井三池炭鉱《みついみいけたんこう》の石炭積出港として発展しており、島民たちは石炭の沖積み人夫として移住していった。きっかけとなったのは、前年に生じた台風被害と、その後の干ばつによる飢饉、悪疫の流行であった。島の惨状を目の当たりにした当時の大島島司が風害救助金請願のために県庁を訪れたところ、そこに人夫募集のためにたまたま訪れていた三井物産の口之津支店長と出会い、与論島からも募集することになったのであった。当時の戸長上野應介《うえのおうすけ》は、「第二の与論」建設を掲げ、島民たちを説得していった。

移住後の暮らしは、決して楽なものではなかった。第一回移民団には一軒の長屋しかあてがわれず、板張りにむしろが敷かれた六畳一間に二世帯あるいは三世帯が入れられ、そこに入れない人びとは近郷の農家の納屋に収容された。労働面では、地元民に比べて低い賃金しか支給されず、芋と味噌で一昼夜、ひどいときには仮眠しながら三日間ぶっ通しで石炭を運び続けなければならなかった。それ以外にも、言語や風習の違いから、「ヨーロン、ヨーロン」と呼ばれて馬鹿にされ、差別されていたという。

こうした困難のなか、島へ帰る者や逃げ出す者も当然いたのだが、残った人びとは互いに協力し助け合いながら日々の生活を送っていった。口之津への移住からおよそ一〇年後の一九〇八年に三池港が完成すると、一九一〇年一月に、移住者のおよそ四割にあたる四二八人が福岡県大牟田《おおむた》へと再移住していった。『与論島を出た民の歴史』では、このなかに沖永良部島や徳之島の出身者も含まれていたと記述されているが、その内訳は不明である。また、再移住しなかった人々のうち、そのほとんどは故郷の島へと戻っていった。

大牟田移住後も苦難は絶えなかったが、若手が育つにつれて指導者も交代し、一九三八年には同郷者集団である「与洲同志会」が結成されている。終戦から間もない一九四七年には、同郷人の共同納骨堂として「与洲奥津城《おくつき》」が建立されている（六五頁の写真参照）。死後の安住の地を確保したことは、移住者たちにとって「第二の与論」を名実ともに誕生させた象徴的な出来事であった。これに伴い、与洲同志会を基盤に「与洲奥津城会」が設立され、これが現在の「大牟田・荒尾地区与論会」の母体となっている。

現在では、この大牟田・荒尾

百合ヶ浜（提供：与論町役場商工観光課）
干潮時に沖合に現れる砂浜

地区与論会が、島と移住先とをつなぐ交流の懸け橋となっており、観光使節訪問団を結成して島を訪れたり、修学旅行で与洲奥津城を訪れる与論中学校の生徒との交流事業を担ったりしている。

満州開拓団

与論島で満州開拓移民団（以下、「開拓団」と表記）の話が表面化したのは、一九四一年頃からだとされる。島の出身で満州国文教局中等教育教科書編纂主任をしていた龍野玄徳《たつのげんとく》が、休暇で帰郷するたびに、「いつまでこんな小さな島で、カライモのしっぽをかじっているんだ。満州には広い天地がある。（中略）バスに乗りおくれるな」、と熱っぽく語っていたという。当時の村長をはじめとした役場幹部は、兵役経験もある小学校教諭の伊藤佐江吉《いとうさえよし》に開拓団団長として白羽の矢を立てた。当初は渋っていた伊藤も、教え子たちから嘆願されたことで、団長の任を引き受ける決心を固めた。

集団移民の入植は、幹部と先遣隊を訓練して移住地へ送り込み、その後本隊を迎え家族を呼び寄せるようになっていた。一九四三年八月に与論島を出発した幹部と先遣隊は、別々の場所で訓練を受け、その後、移住地の錦州省盤山県二道橋子《きんしゅうしょうばんざんけんにどうきょうし》で合流した。一九四四年三月一〇日が入植記念日となり、第一三次盤山与論開拓団が発足した。その後、四月末には本隊の第一陣が到着し、本隊の最終陣が到着したのは一〇月であった。開拓団は、もっとも多い時で一四五戸、六二五人に達した。

開拓団は、全国的に見ればもっとも遅い時期に入植を開始したのだが、受け入れ態勢は整っていなかった。住宅は未完成で、すでにある住宅も寒風が容赦なく吹き込む貧弱なものであった。また、与論島が温暖なこともあって開拓団は防寒用の衣類を持ち合わせていなかったが、こうした衣類の配給も不十分であった。そして、飲料水の確保にも一苦労するありさまであった。環境の違いや衣食住の不十分さから、老人や子どもから病気になり、最初の年だけで一〇人を超える死者が出たという。

開拓団には、広さ一七〇〇ヘクタールの移住地が割り当てられ、一戸当たり四ヘクタールが配分された。これを開墾して水田化するのだが、最初の年は手作業で土地を切り開きつつ、雑草のなかにモミを直播きし、一戸あたり一ヘクタール、合わせて一三〇ヘクタールに米を作った。

入植から二年目には、住宅も次第にできていき、米の作付面積も拡大していった。しかし、初夏に入る頃から、開拓の主柱となる若い男たち数十人に赤紙が舞い込み、最終的には団長や副団長といった幹部たちも招集された。一九四五年八月一五日に日本は終戦を迎えるが、開拓団にこの知らせが伝わったのは、三日遅れの八月一八日であっ

与論島の記念碑、2011 年
左から満州開拓団の慰霊碑、戦没者の忠魂碑、上野應介翁頌徳碑、口之津移住開拓民之碑

た。その後の開拓団の状況は凄惨であった。幹部たちが不在のなか、暴徒と化した現地住民からの襲撃や略奪を受けてケガ人が続出し、殺害された人や、なかには集団自決した人びともいた。生き残った人びとは、一切の所持品を奪われ、裸同然で県庁のある盤山の町へ向かった。

開拓団が帰国したのは、一九四六年六月であった。帰国後、島に戻りたい人びとと本土で開拓のやり直しを希望する人びととに分かれ、帰島希望者たちは、米軍統治下の島へとヤミ船と呼ばれた密航船に便乗するなどして、年内にはほとんど帰っていった。残った人々は、県庁と相談して、鹿児島県肝属郡田代村《きもつきぐんたしろむら》へと入植していった。開拓地は、標高五〇〇メートルの国有林であったが、杉などの大木がうっそうと茂り、見上げても空が見えないような場所であった。開拓団は、満州と同じ開拓方式をとり、若手を中心とした先遣隊が現地へと入り、その後本隊が移住した。一九四六年七月一八日に現地入りした先遣隊は、借りてきた軍隊用のテント二張りを仮宿にしながら、充分な道具や生活用品もないなかで開拓を進めていった。途中、開拓をあきらめて下山する者もいたが、一〇月上旬には入植の最終陣として女性や子どもたちを迎え入れ、五四戸、二六〇人がそろった。開拓団の間では、いつしか「満州を忘れるな」が合言葉となり、開拓地の名前も「盤山《ばんざん》」とした。

このような状況のなかで、開拓団はあらゆる試行錯誤を行ったが、転機となったのは茶栽培との出会いであった。一九五七年に四戸が茶の新植に踏み切り、二年後には一〇戸が参加して「盤山ヤブキタ同好会」を結成し、本格的なお茶作りが始まった。このとき中心になったのは女性たちであった。一九六二年には、開拓団の有馬功《ありまいさお》・芳子《よしこ》夫妻の出品したお茶が全国製茶共進会で二位に入賞した。開拓団の人びとは、お茶を通じて田代の地に確かな根を下ろしていったのであった。

田代町は、一九六九年に与論町と姉妹盟約を結んでいる。これによって、小中学生の相互交流事業や役場職員の人事交流が行われている。ここでもまた、移住者たちが島と移住先とをつなぐ架け橋となっているのである。なお、田代町は、二〇〇五年に大根占町と合併し錦江町となるが、二〇〇六年に錦江町と与論町は改めて姉妹盟約を締結し、現在に至るまで交流は続いている。

広がる「ユンヌンチュ」の輪

ここまで、与論島の歴史に残るような集団移住の経緯について見てきた。興味深いのは、どの事例でも移住先で支え合い、助け合いながら独自のコミュニティを築き、それが与論島と移住先との交流の拠点になっていることである。こうした歴史に残るようなかたちでなくとも、与論島からは毎年一定程度の人びとが島外に旅立っている。他ならぬ筆者自身もその一人だ。

もう十数年ほど前になろうか、大学院生の頃に調査を兼ねて帰郷した際に、親戚のおじさんに言われて記憶に残っている言葉がある。宴会からの帰り道、「将来島には帰るのか?」と尋ねられ、「多分、帰れないと思う」と答えた私に、おじさんは次のように返してきた。「そうか、しょうがないな。親のこととか、思うところもあるかもしれんが、島のことは気にしなくていいぞ。島のことは島にいる人間が何とかするし、外に出た人間はそこで頑張ればい い。それぞれで頑張って、帰ってきたときにこうやって一緒に飲めれば、それが島のためになるってことだろう」。一緒に酒を飲むことがどう島のためになるのかは不明なのだが、酔うとろれつが回らず何を言っているのかよくわからないことの多いおじさんが、真剣に話してくれた含意については、何となく了解することができた。「それぞれで頑張る」ことは、単に個別にやっていくことではなく、離れながらもつながりを感じ、それが異郷の地での支えにもなるのだと感じることができた。時代や状況の苛烈さはまったく異なるが、集団移住者たちとそれを見送る人びととの間にも、このような感覚があったのだろうか。

与洲奥津城、2010 年
口之津から三池に移住した 100 周年記念式典における
春季大祭の様子。与洲奥津城は 1996 年に改修再建されている。

与論島出身者の多い地域では、同郷者集団である与論会が結成されている。代表的な与論会には、このコラムで紹介した大牟田・荒尾地区与論会のほかに、東京与論会や関西与論会、鹿児島与論会などがある。与論のことを方言で「ユンヌ」といい、与論島の人びとは自らのことを方言で「ユンヌンチュ」と呼ぶ。こうしたユンヌンチュの輪が、島を越えて広がっている。もちろん、世代を経るとこうしたアイデンティティも変質し、移住先でのアイデンティティと相まってより重層化していくのだろう。だが、島というひとつの境界を飛び出したユンヌンチュたちの存在や、こうしたユンヌンチュたちが島をほかの地域と結びつける役割を果たしていることに注目してみることで、地理的な島にとらわれることなく、その魅力を再発見することにつながるのではないかと感じている。

（町泰樹）

コラム　奄美大島南部の浜をめぐって

はじめに

現代の暮らしにおいて、さまざまな境界が存在する。外国人である筆者の経験として、故郷に帰るたびに越えなければならない国境が一番鮮明である。本当の国境は洋上のどこかにあるだろうけれど、実際のところ筆者にとって、空港の奥にある出入国審査カウンターが国境のようなものである。そこを通り抜けるためには、パスポートの提出が必須である。すでに一〇何回も通った経験があるが、今でも「国境」に行くとやはり緊張する。国境のような「想像上の境界」の基本性格は排他的であり、そこでは明確な目的とルールに基づく通り抜け以外の人間の活動が極端に制限されるゆえである。

一方で、「想像上の境界」のほかに、草原と砂漠の境目や、水域と陸の境目などのような「自然の境界」も存在する。思うに、人類は境界を想像できるようになる遥か昔から、「自然の境界」を認識し、経験してきたのだろう。こうした「自然の境界」における人間の活動はどのような様相を呈しているのだろうか。

このような疑問を考える材料として、本稿では奄美大島南部における海と陸との「自然の境界」として浜に注目したい。具体的には、郷土誌などの文献資料および筆者のこれまでの聞き取り調査に基づき、明治期から昭和三〇年代までの間の浜における生活風景について、いくつかの場面に分けて大雑把に紹介する。時間を昭和三〇年代までに設定した理由は、昭和三〇年代以降、奄美群島振興開発特別措置法（略称「奄振」）に基づく開発事業を代表とする様々な近代化開発が行われ、奄美大島における環境や社会生活が大きく変化したためである。

奄美大島南部

シマの門戸

奄美大島南部の浜、とくに集落（奄美大島では、集落のことを「シマ」という。以下「シマ」と表記）が有する浜は海と陸の境目以上の多様な意味を持つ。まず、シマの門戸としての意味である。なぜ浜が門戸なのか。地図から奄美大島南部の地形的特徴を見てみたい。大島海峡を挟む大島本島側も向こうにある加計呂麻島も、ともに複雑に入り込んだ地形を呈している。そして、写真の管鈍集落と同じように、ほとんどのシマは三面が峻険な山に囲まれ、一面が海に面している。地形学においては、このような地形を「リアス式海岸」と呼ぶ。この地形的特徴は奄美大島北部の笠利を除く地域では多く見られるが、奄美大島南部は特に顕著である。かつては、シマの人びとはよそのシマや町に行く時の交通手段として、山の峠道か、海の舟かの二択であった。曲がりくねった上に、ハブが出る山の峠道より、荷物の運搬においても有利である海の方が主になることが容易に想像できる。

　登山修『蘇刈《そかる》民俗誌』によれば、現在車で一五分ほどの距離にある蘇刈集落から古仁屋の町へ出るのに、終戦後まで主としてイタティクィ（板付舟）が利用されていた。隣の人とうち揃って、五、六人も同乗し、岬々をあてにして漕ぎ進んだものだという。また、西古見慰霊碑建立実行委員会の『西古見集落誌』によれば、昭和四〇年代まで古仁屋への交通は、一日一往復の定期船に頼っていた。明治期から西古見を往来していた舟は、板付舟や伝馬船から、木炭船、マーラン船、気帆船、汽船まで多種多様であり、海での交通の賑やかさや変化の目まぐるしさを物語る。昭和三九年に桟橋ができるまで、定期船は砂浜の海岸に先をつけ、人ははしごで乗り降りしたという。

ドローンで撮った管鈍集落（提供：現地の知人から）

　このように、海での交通が主であったシマにとって、浜はまさにシマの門戸である。西古見在住の加早苗《くわえさなえ》氏が詠んだ詩「捨てた集落」において、「この浜を小さな包みを抱えて、裸足でのりこんだ伝馬船」の一句がある。若い頃シマを離れ、本土に渡る際の記憶や気持ちがまさに門戸としての浜の光景に凝縮されているように感じられる。その気持ちは、初めて中国の空港にある出入国審査カウンターを通り抜けた筆者の気持ちと、似通っているのかもしれない。

遊びのついでとしての生業

　現在、奄美大島の主要産業は島外を頼る観光になっているが、かつては、ほとんどのシマが自給自足の生活であった。主な生業として、農業と漁業があった。農業は主にシマでは田袋と呼ばれる、居住エリアと山の間にある平地で行われる稲作と、山の中腹まで開墾された段々畑で行われる畑作がある。漁業は大島海峡だけでなく、外洋においても盛んに行われている。一方、浜においては換金するどころか、日頃の空腹を安定的に満たすほどの食料も提供できない。しかし、面白いことに、浜にさまざまな魚介類や藻類を採集・漁撈する遊びを兼ねた活動が極めて多彩に存在していた。人類学者の松井健はこのような活動を「マイナーサブシステンス」と呼び、地域社会に対する経済以外の意味について注目した。

　そのなかで、筆者が調査する際によく聞かれた生業活動のひとつはアオサ採りである。筆者の知っている限り、清水や、蘇刈、加計呂麻島にある西安室では今でも個人や集団でアオサ採りを行っている。アオサ採りについて、恵原義盛『奄美生活誌』ではこのような記述がある。「専門的に採取したら一時季の業にもなるだけの量があると思うのですが、今のところその専業者はなく、女達がレクリエーション的に行く貝漁りのときのついでに採る程度に過ぎない」。また、浜での貝採りもアオサ採りと同じ位置づけである。潮が引けば、老若男女誰でもしたいときにしたいだけに貝採りをしていた。清水在住の七〇代女性によれば、小さい頃よく一日中浜で遊んで過ごした。その際のついでにとった貝が夜の味噌汁の具になることが多かったという。

このように、かつてのシマにおける生業は、陸の稲作、畑作での労苦と、海の漁での危険、そして陸と海の境界としての浜での娯楽という構造を呈している。生産量から見ると、浜での生業活動は取るに足りないが、シマの人びとはにとって農業と漁業と同じように、浜での生業活動が重要である。

シマの公園

奄美大島では、公園が整備される以前に、公園の機能を果たしていたのは浜であった。子供たちにとって、ハブのいる山や、親のいる田んぼ、狭隘な集落内に比べると、海と砂があり、「おもちゃ」になれる生き物が豊富にいる広々とした浜がまさに絶好の遊び場である。加計呂麻島の押角で幼少期を過ごした島尾敏雄の妻、島尾ミホは自身の幼少期を回顧して次のように語っている。「小学生のころ、夏休みの間はほとんど一日じゅう海岸で遊んでいたと申せましょう。（中略）泳ぎ疲れますと浜辺で遊び、また泳ぐというふうで、日がな一日、海を相手に遊び過ごしていました」。筆者が聞き取りをした方々の多くも島尾氏と同様な経験を持ち、そして共通して語ることは、従来の民俗誌で多く記録されている何らかのルールに基づく遊びが少ないことである。制限の少ない浜において、子どもたちはその本来有する自由な発想で遊んでいたのだろう。

蘇刈の浜にある夕涼み台

一方、公園が子ども専用の場所ではないのと同じように、浜は大人にとっても憩いの場である。清水在住のある方によると、かつては夏の夕方頃に近隣同士が声を掛け合い、浜に出て夕涼みをしていた（写真）。大人たちが世間話に花を咲かせ、やがて自然にどこからか即興の歌が聞こえ、歌掛け遊びが始まる。子供たちが年寄りたちの話し相手となり、島唄や昔話がそこで伝承されていく。

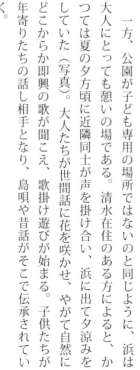

カミの通り道

浜はこの世の者がシマを出入りするための門戸だけでなく、あの世の者の、またはカミの通り道でもあり、山・シマ・海という奄美の信仰世界をつなぐ重要な場所だと信じられてきた。例えば、現在ではその本来の意味がだいぶ忘れ去られていた、奄美大島で広く伝承されている伝統行事「シバサシ」について、島尾ミホの回顧によれば、元来先祖の霊を迎える行事である。「シバサシ」の日に各家が門のところで火を焚いておくが、それは海から浜を通って集落に上がってくる先祖の足先を温めるために用意されるのだという。『西古見集落誌』においても、シバサシに関する同様な伝承が記載されている。

また、浜の通り道としての側面は伝統信仰のみならず、シマにおいて歴史が比較的浅い神社にまつわる信仰からも見出せる。清水集落の東端には厳島神社が祀られてある。現在では、鳥居も拝殿も集落のある西側に向いているが、これは神社のすぐ横に通る県道の舗装に伴い、県道のガードレールが海から上がってくる神の妨げになるのではないかと危惧され、改築された結果である。もともと鳥居も社殿も海に面していたのである。そして、写真のように、浜においては、海から神社へとつなぐ神の通り道が、改築された今でもきちんと保存され、きれいに清掃されている。

清水の厳島神社へと続く神道

おわりに

奄美大島南部におけるシマの浜について、交通、生業、遊び、信仰という四つの側面から人間の諸活動を紹介してきた。紙幅の都合で事例の提示も分析も十分とは程遠いが、それでも浜という「自然の境界」における人間の活動が非常に多様であり、多義的であることがわかる。交通の側面において、浜を出入りすることはシマを出入りすることを意味し、その際に生じる緊張感は「想像上の境界」のそれと相似するものであろう。一方で、生業や遊びの側面からわかるように、浜に対する利用は極めて自由であり、公共的である。ここは排他的であり自由な活動が制限される国境のような「想像上の境界」とはむしろ正反対である。さらに、信仰の側面はまさにこの独特な環境で暮らしてきたシマの人びとならではの発想を反映している。

ところで、昭和三〇年代以降から今日に至るまで、シマの浜が大きく変化した。現在、奄美大島において護岸工事が行われていないシマが瀬戸内町嘉徳《かとく》集落（護岸工事が計画され、地元住民の反対運動により一時中断）の一カ所のみと言われる。ハード面の開発が進む一方で、シマの社会も大きく変化し、前述した多くの生活風景が現在ではほとんど消えていった。元来多義的な浜がシマの暮らしから遠ざかり、「海と陸の境界」という一義のみが護岸工事によって具現化され、強化されていくように見て取れる。このように、開発が「自然の境界」にもたらす影響について考えるためには、開発以前の浜における生活風景についてよりいっそうの記述と分析が必要であろう。

（熊華磊）

コラム

奄美で起きた『無我利道場《むがりどうじょう》』追放運動

はじめに

奄美大島の南部西側に宇検村《うけん》がある。村は一四の集落で成り立ち、東シナ海から深く入り込む焼内湾《やきうち》のほぼ両岸に点在している。湾の入り口には、枝手久島《えだてく》がどっしり構え、島の東側対岸に久志《くし》集落がある（枝手久島は、面積五・七九平方キロメートル、周囲一六キロメートルで、奄美群島最大の無人島。「ハブ発祥の地」と伝えられ、「神宿る島」とも言われている）。

枝手久島への石油基地建設計画で奄美が大きく揺さぶられ始めた一九七五年八月、久志に県外から移住者がやってきた。彼・彼女らは「無我利道場」と名乗り、半農半漁の共同生活を始めた。一九八四年一〇月に石油基地計画が断念されたあと、八七年頃から「無我利追放運動」が始まった。村有力者たちの呼び掛けで八八年五月「無我利道場解体村民会」がつくられ、この頃東京から暴力団系右翼・松魂《しょうこん》塾が久志に常駐を始め、一〇月には無我利の借家への不審火、ダンプでの借家突入・破壊によって一人に重傷を負わせ、さらに集落内で追放反対住民の軒先に街宣車を停め、大音量の嫌がらせ街宣を長時間繰り返すなど、村民を巻き込んだ追放運動が繰り広げられた。無我利と追放派住民が「和解」したのは一九九三年一一月だ。

宇検村湯湾《ゆわん》

無我利道場の登場と枝手久島「開発」計画

「むがり」とは奄美の言葉で「何かとへ理屈を付け逆らう偏屈もの」というような意味だ。全否定ではなく「ちょっと変わり者だがいいところもある」というニュアンスもある。

その中心だった男性は、日本のヒッピー運動の草分けの一人で、高度経済成長・物質的繁栄・競争社会の秩序を拒否し、積極的にドロップアウトする生き方を選んでいた。彼は私に「自然のなかで自然とともに生き、感性を研ぎ澄まし、エゴを超えた新しい人間関係をつくり出すため、自己変革を重視する」と語った。「新しい関係」を求めるには、財布とかまどを一つにした「共同体（コミューン）・共同生活という場が適している」とも。

彼は、一九六七年からトカラ列島の諏訪之瀬島《すわのせじま》でコミューン建設を試みたが、本土のレジャー企業が進出してきて、その反対運動のなかで挫折した経験がある。その後、枝手久石油基地計画に遭遇、「日本の自然を荒らしてきたヤマト（本土）資本が、奄美の自然を食い物にして侵略しようとしている。ケンカしてやろうという気分だった」と言った。

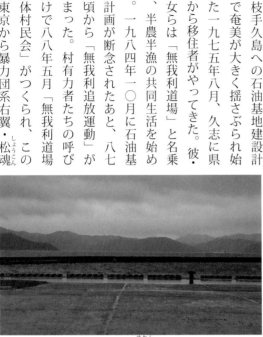

奄美の移住先は、まず石油反対の平田《へだ》集落を考えたが、集落は「よそ者」が入るのを認めなかった。久志に相談したところ、区長ら石油反対派の人たちがOKした。無我利は石油反対派という受け皿に飛び乗り、それに包まれるかたちで久志に入ったといえる。

石油基地計画は、一九七三年二月、東亜燃料工業（東燃＝合併を経てENEOSに合流）が宇検村に申し入れ、同年八月、村議会特別委が受け入れを決めた。「中東からの原油を精製し、ガソリン、灯油、重油などを生産して本土に運ぶ」「国内最大の日産五〇万バレル処理」「建設費一五〇〇億円（当時の奄振（奄美群島振興開発事業）予算の一五倍）」「関連企業を含め雇用一六〇〇人」と超大規模だった（計画内容は、斎藤憲ほか『奄美　日本を求め、ヤマトに抗う島』より）。

この計画に対し、宇検村以外の奄美大島六市町村（当時）が「石油公害への危機感」などから反対、全国の奄美出身者も反対で、村は反対派に囲まれたようになった。村内では賛成集落が多数だが、焼内湾南側の四集落は反対、久志は賛否が割れた。

公害や自然破壊を懸念する広範な反対運動が盛り上がる一方、過疎・人口減の進行に危機感を抱き、働き場所確保・村の発展などの恩恵を期待する賛成派がこれに対抗した。一触即発の事態も出現し、大島全域を巻き込む事態となった。斎藤憲《さいとうけん》はこの「枝手久闘争」を「奄美の日本復帰後の最大の運動」と見ている。

東燃は、二度の石油ショックで石油消費が頭打ちになったのを背景に、①鹿児島県による公害影響調査ができない、②焼内湾での漁業権放棄が不可能（漁業権放棄は漁協組合員三分の二以上の賛成が必要。無我利メンバーが伝統漁法の「あぶり漁」に参加して組合員資格を獲得したため、賛成派による三分の二確保が不可能に）、③土地取得の見通しつかず（反対派が所有者を説得、仮登記という形で東燃への売却を防いだ）――がネックとなり、一九八四年一〇月に進出断念。村に「迷惑料」三億円を提供して撤退した。

枝手久島を舞台にした開発計画は、もうひとつあった。鹿児島市の城山観光のものだ。東燃の計画と同時期の一九七三年二月、同社関連の城山合産が、島西側の阿室集落共有地二・三平方キロメートルを購入した。観光地整備目的だったらしい。

城山合産は、東燃撤退三年後の一九八七年、「ゴルフ場、牧場、ホテル、観光用養殖場を造る」との計画を示した。これに絡んで「奄美大島から城山合産取得地へのアクセスとして、島に近い東側に橋を架け、取得地まで島内道路を整備する必要があり、久志の共有地が問題になる」という見方がささやかれた。もしこれが実際に動き出していたら、無我利は久志共有地の利害関係者として、開発を進めたい城山側には邪魔な存在となっただろう。

折から久志で無我利追放の動きが始まった。

「松魂塾」の登場と「無我利追放」の激化

無我利の久志移住から一三年も経った一九八八年四月、暴力的な「無我利追放運動」が始まった。暴力団系右翼・松魂塾などが、大音量で軍歌を鳴り響かせ、「無我利道場はテロリスト集団、久志を乗っ取ろうとしている」「無我利は日本赤軍と同じ思想を持っている。この美しい海に囲まれた奄美から革命集団を追い出そう」などとがなりたてた。

人が自分と異質な考え方や行動に触れると、大きな反感・反発を感じるのは、普通、出会いの最初の場面だろうが、無我利が登場した一九七五年には追放運動は起きていない。一三年後の追放の始まりは極めて不自然だ。半農半漁の暮らしを続ける無我利に「テロリスト集団」「日本赤軍と同じ」などの言葉が投げつけられるのにも強い違和感があった。

実は、追放運動が始まる前年の一九八七年三月に久志区長名で出されたビラがある。「爆弾犯のA、Bをかくまい、日本の転覆を企てている赤軍派と内通」「沖縄国体に天皇がおいでになるがその飛行機を打ち落とす計画を進めている」「よど号ハイジャックの赤軍連中も帰ってくるとの噂」など、無我利と極左過激派とのつながりを強調する一方、無我利の子どもたちが前年二学期から小・中学校への登校拒否をしていることなど、ルールを守らず久志の平穏を乱していると批判して、「家や土地を貸さないで」と訴えた。

区長ビラのきっかけは警察情報だ。交通安全講習会で警察署長が「よど号犯人が久志に帰ってくるだろう」という趣旨のことを話すのを聞いた男性が、集落幹部に伝えたのだ（署長は後に「そんなことを話した記憶はない」と否定）。「無我利＝極左・過激派」論は警察が情報源になっている。区長には差出人不明で、無我利の中心にいた男性が書いた文書のコピーが届いたり、極左暴力集団系統図などが出回ったという（横田一『漂流者たちの楽園』）。

松魂塾は、なぜ久志に登場したのか。こちらも警察情報が絡んでいる。久志に常駐したのは松魂塾の下部組織・南宝同志会で、奄美・沖縄出身者が中心。同志会責任者も徳之島出身だ　。ある事件で逮捕されて取り調べのとき、極左暴力集団の資料が机の上にあったので尋ねると「宇検にいる」との返事。危機感を持った同志会責任者は、同じ徳之島出身で松魂塾幹部を紹介されて相談した。幹部は「何とかしないと」と追放に乗り出したという。松魂塾が起こした無我利借家へのダンプ襲撃事件での公判資料では、同志会は一九八八年一月から一〇月までに約八五〇万円を受け取っている。スポンサーがいるのか、それは謎だ。

おわりに

追放運動は、一九八七年三月の区長ビラをきっかけに急拡大した。住民が理由としたのは、登校拒否問題（子どもが「学校に行きたくない」と言っても、行かせるのが大人の務めだが無我利は放置している）、思想問題（極左暴力集団とつながっており久志を乗っ取ろうとしている）、風紀問題の三つだ。風紀問題とは、一つ屋根での共同生活は理解できないということに始まり、「男女関係が乱れている」「フリーセックスだ」という見方が広がったことを指す。事実無根の憶測に過ぎないが、追放の理由として格好の攻撃材料とされた。

無我利は、一九八九年九月に「無我利道場の名称使用をやめる」、一九九一年八月には「共同生活終了と新たな出発にあたっての御挨拶」を明らかにして事態の収拾を訴えたが、すんなりとはいかなかった。旧無我利の人たちは、今は久志を離れ、各地で自らの生活を営んでいる。

旧無我利は島を去ったが、追放の根っこは残っているのではないか。東京や大都市圏への集中・地方は集落崩壊の急拡大というこの国の構造が放置される限り、働く場所があり、若者が戻って、農漁業でも食べていける暮らしができて、集落が続いていく――という当然の願いが実現できないからだ。過疎地を狙うように開発計画が持ち込まれ、すがる側と反対する側の対立構造が繰り返される。

旧住用村でゴルフ場計画があったとき、誘致派住民が言った。「都会から来るゴルフ場反対派は、絶滅危惧種を守れというが、ここでは人間が絶滅危惧種だ。何とかそれをくい止めるため、自然にも配慮しながら開発してどこが悪い。部外者は口を出すな」

問われているのは何？　誰？

（杉原洋）

あとがき

奄美についてのブックレットが刊行できて、正直ほっとしている。今まで編集者として手がけたシリーズのいずれにも苦闘したが、今回は格別であった。刊行時期がいつもより遅くなったことを読者におわびしたい。理由はいくつかある。私は南九州の育ちだが、ロシア研究が長く、二〇年の札幌暮らしもあり、関心がすっかり「北方」に染まっている。ましてや私自身、奄美に縁もゆかりもない。だが、もっとも大きなそれは、奄美の奥深さと多様性にあった。

もちろん、私はボーダースタディーズ（境界研究）を専門として標榜しているから、本格的な論文を書いたりしなくても、日本の西や南についてそれなりに目配りはしてきた。沖縄、とくに日本の「端っこ」である八重山には早い時期から通い続けてきた。根室、稚内から小笠原、対馬、五島、そして竹富や与那国の自治体が連携する境界地域研究ネットワークJAPANが設立されてから、今年で一〇年になる。ネットワークはこの間、隠岐の島、礼文、標津も加え、日本の今のかたちの外延をほぼカバーするメンバーで構成されるまでになった。

だが、国の「端っこ」に関心をもっても、国のなかにも様々な境界地域が存在することに強い意識をもつことはなかった。そして、境界地域のなかにも異なる歴史的な空間が重層的に存在している。はしがきで紹介したように、最初に訪れた「奄美」が徳之島だったが、その風景は九州で私が育った「田舎」に似ており、私が抱いていた奄美大島などのイメージとは違うものであった。「奄美」を境界地域としてひとくくりで捉えようとすることも疑った方がいいのではないか。そのような疑念が私のなかで大きくなっていった。そして、島の人が大島に行くのを「奄美に行く」と言うのを知り、八重山の人びとが那覇（沖縄本島）に行くのを「沖縄に行く」と言っていたことを思いだした。「沖縄」がひとつでないのと同じように、「奄美」もやはりひとつではなかった。

本書の企画は、このような「奄美」の重層性を一人でも多くの読者に伝えたいとの思いからうまれた。島外の私たちにとってはもちろんのこと、それぞれの島に暮らす人びとにとっても、「奄美」の知られざる魅力がまだまだあるだろうと。

本書はこれまでのブックレットと異なり、観光案内をも含む入門的な情報にとどまらず、かなり専門性の高い話題が盛り込まれている。内容も濃く読み応えのあるつくりになったが、そうであるがゆえに、これまでの本にない仕上がりになったと思う。

また本書の意義は、奄美を語りながら、必ずしも奄美のみに視座を固定していないところにある。トカラや沖縄とのつながりを意識して編まれているし、南方のみならず、日本の境界地域全体のなかで本書を位置付けたいという願いもある。本書を結ぶにあたり、本書の内容と一部重複するが、「南海日日新聞」に寄稿した「ボーダーから奄美を考える」の一筆を皆さんにお届けしたい。

ふつう「国境」と聞くと国の「端っこ」を想像するよね。いま日本国が支配している空間で言えば、稚内や根室、小笠原、対馬、五島、与那国、竹富などの地域がそれだ。多くは島なのだが、国土の変化という観点からみれば、大戦前、これらは「国境」地域ではなかった。すべてが戦後の産物なのだ。

「国境」は時代とともに変わる。地理的な「端っこ」だけで考えてはならない。前近現代史の知見を借りれば、そもそも北海道も東北の北、沖縄はおろか九州南部でさえ、「日本」ではなかった。「端っこ」は動くのだ。

北海道のケース。近代史において稚内（宗谷）や根室は「先進地」だ（先住民への収奪も含めて）。北前船が廻り物流も人流もある。海でつながるから外からの往来も多い（境界も定かではなかったが）。「拓殖」の観点から見た「端っこ」とは内陸部、ずばり言えば、山に囲まれた北見あたりであった。「アイヌ・囚人・タコ・朝鮮人」と続く開発の犠牲者たちの「屍」の重さは、仙台藩の集団移住をルーツとし、噴火湾もあり積雪も少なく「北の湘南」と呼ばれる伊達の「明るさ」と対をなす。

南はどうだろう。いまの日本国からみれば沖縄は地理的な「端っこ」だが、琉球はそもそも王朝だったから歴史的には中心だ。「端っこ」は薩摩との境界地域であった奄美が背負ってきた。

とはいえここも一筋縄ではない。「本土復帰」ひとつをとってもそう。周知のごとく、日本の敗戦直後、（経緯の複雑な満州、朝鮮、台湾などを除けば）千島と樺太はソ連軍、本島及び南洋群島を含む島嶼の多くが米軍に占領された。南方では米軍占領の範囲が「端っこ」を揺り動かす。GHQの「行政分離」により、一九四六年二月、北緯三〇度以南は日本の行政から切り離され、十島村の間に境界が引かれた（日本に残った島嶼部は三島村となる）。一九五一年、サンフランシスコ講和の際、主権回復した本土に十島村の「七島（トカラ）」が含まれ、北緯二九度が境界となる（奄美は米軍占領下のまま）。

一九五三年にダレス国務長官によって突然宣言された奄美群島の「本土復帰」は、米軍展開を担保すべく沖縄から切り離すためでもあったが（「国境二七度線」の誕生）、その過程で徳之島と沖永良部島の間に境界が引かれる可能性すら示唆された。

そして同じ島のなかでも地域によってさまざまな歴史と個性もある（和泊と知名、笠利と瀬戸内など）。

奄美は日本国の虚像を南から見通すことのできる「端っこ」だ。でもこれってあくまで余所者の見方に過ぎない。地域に暮らす人々の想いは違うだろう。でもね、歴史や個性が違っても、国のあり方を考えようとする仲間たちはいる。だからこそ、いまの地理的「端っこ」クラブを超えて、奄美の皆さんにも一緒に境界（ボーダー）を議論してほしいのだ。

（「私が奄美に魅かれた理由」『南海日日新聞』二〇二一年一月一三日から抜粋）

地理的に「端っこ」な地域だけが、境界ではない。いまはひとつの国だが、そのなかに重層的な境界が存在している。「奄美」の引力は今なお私をとらえて離さない。

（岩下明裕）

参考文献

Ⅰ　奄美に行こう

神谷裕司『奄美、もっと知りたい―ガイドブックが書かない奄美の懐』(増補版)南方新社、一九九七年。

麓純雄『奄美の歴史入門』南方新社、二〇一一年。

『奄美大島　喜界島　加計呂麻島』(地球の歩き方JAPAN島旅、奄美群島①)、ダイヤモンド・ビッグ社、二〇一七年。

『与論島　沖永良部島　徳之島』(地球の歩き方JAPAN島旅、奄美群島②)、ダイヤモンド・ビッグ社、二〇一八年。

梯久美子『狂うひと―「死の棘」の妻・島尾ミホ』新潮文庫、二〇一九年。

渡辺芳郎編『奄美群島の歴史・文化・社会的多様性』南方新社、二〇二〇年。

Ⅱ　「境界領域」としての奄美史

奄美博物館編『博物館が語る奄美の自然・歴史・文化』(奄美博物館公式ガイドブック)南方新社、二〇二一年。

池田榮史編『古代・中世の境界領域』高志書院、二〇〇八年。

伊仙町教育委員会編『史跡徳之島カムィヤキ陶器窯跡保存管理計画書』伊仙町教育委員会、二〇一五年。

入間田宣夫「鎌倉幕府と奥羽両国」小林清治・大石直正編『中世奥羽の世界』東京大学出版会、一九七八年。

大石直正「外が浜・夷島考」『関晃先生還暦記念日本古代史研究』吉川弘文館、一九八〇年。

喜界町教育委員会編『城久遺跡群総括報告書』喜界町教育委員会、二〇一五年。

古代学研究所編『東アジアの古代文化』一三〇号(特集「古代・中世の日本と奄美諸島」)、大和書房、二〇〇七年。

島尾敏雄「『大島代官記』について―私の奄美史研究の端緒」『安陵図書館月報』第一・二号(一九五七年)、鹿児島県立大島高等学校。

島尾敏雄「アマミと呼ばれる島々」『南日本新聞』一九五九(昭和三四)年一月五日付。

島尾敏雄「悲しき南島地帯」『南海日日新聞』一九六〇(昭和三五)年一月一日付。

島尾敏雄「日本の周辺としての奄美」『中部日本新聞』一九六〇(昭和三五)年七月八日付。

島尾敏雄「奄美―日本の南島」『This is Japan』第一三号(一九六五年)。

島尾敏雄「私の見た奄美」『島にて』冬樹社、一九六六年。

島尾敏雄「明治一〇〇年と奄美」『大島新聞』一九六八(昭和四三)年一一月二五日〜三〇日付連載。

島尾敏雄「ヤポネシアと琉球弧」『海』第二巻第七号(一九七〇年)。

島尾敏雄「琉球弧に住んで一六年」『潮』第一四六号(一九七一年)。

鈴木靖民「南島人の来朝をめぐる基礎的考察」田村円澄先生古希記念委員会編『東アジアと日本』(歴史編)吉川弘文館、一九八七年。

鈴木靖民『日本古代の周縁史―エミシ・コシとアマミ・ハヤト』岩波書店、二〇一四年。

高梨修「ヤコウガイ交易の考古学―奈良〜平安時代並行期の奄美諸島、沖縄諸島における島嶼社会」小川英文編『交流の考古学』朝倉書店、二〇〇〇年。

高梨修「知られざる奄美諸島史のダイナミズム―奄美諸島の考古資料をめぐる新しい解読作業の試み」『沖縄文化研究』第二七号(二〇〇一年)。

高梨修『ヤコウガイの考古学』同成社、二〇〇五年。

高梨修「『南島』の歴史的段階―兼久式土器の再検討」『東アジアの古代文化』第一三〇号（二〇〇七年）。

高梨修「島尾敏雄の歴史学的視点―最近の歴史学研究からみたヤポネシア論の再評価」『島の根』第四九号（二〇一三年）、鹿児島県立奄美図書館。

高梨修「行政分離地域の考古学」『琉球史を問い直す―古琉球時代論』森話社、二〇一五年。

高梨修「琉球史はどう語られてきたか」安斎正人編『理論考古学の実践』同成社、二〇一七年。

高梨修「〈薩南諸島の古代・中世遺跡〉列島南縁における古代・中世の境界領域」『學士會会報』第九三二号（二〇一八年）。

永山修一「『小右記』に見える大隈・薩摩からの進物記事の周辺」『鹿児島中世史研究会報』第五〇号（一九九五年）。

永山修一『隼人と古代日本』同成社、二〇〇八年。

名瀬市誌編纂委員会編『鹿児島県史（奄美関係抜粋）』名瀬市誌資料第一輯、名瀬市誌編纂委員会、一九六三年。

村井章介「中世日本列島の地域空間と国家」『思想』第七三二号（一九八五年）。

村井章介『日本中世境界史論』岩波書店、二〇一三年。

柳田國男『海上の道』岩波文庫、一九七八年。

柳原敏昭「東北と琉球弧―島尾敏雄「ヤポネシア論」の視界」（シンポジウム「東北像再考―地域へのまなざし、地域からのまなざし」）東北大学大学院文学研究科東北文化研究室、二〇〇六年。

山里純一『古代の琉球弧と東アジア』吉川弘文館、二〇一二年。

弓削政己「歴史学・奄美諸島史における島尾敏雄の位置」『島の根』第五二号（二〇一七年）、鹿児島県立奄美図書館。

Ⅲ　変動する境界――南西諸島の分断軸

十島村誌編集委員会編『十島村誌』一九九五年。

楠綾子『吉田茂と安全保障政策の形成―日米の構想とその相互作用、1943～1952年』ミネルヴァ書房、二〇〇九年。

コンペル・ラドミール『長い終戦―戦後初期の沖縄分離をめぐる行政過程』成文社、二〇二〇年。

原井一郎、斉藤日出治、酒井卯作『国境27度線』海風社、二〇一九年。

鹿児島県地方自治研究所編『奄美戦後史』南方新社、二〇〇五年。

奄美郷土研究会編『軍政下の奄美　復帰三〇周年記念誌』奄美郷土史研究会、一九八三年。

佐竹京子『軍政下奄美の密航・密貿易』南方新社、二〇〇三年。

芝慶輔編『密航・命がけの進学』五月書房、二〇一一年。

Ⅳ　復帰後奄美のボーダーと社会

森宣雄『地のなかの革命―沖縄戦後史における存在の解放』現代企画室、二〇一〇年。

土井智義「『指紋押捺』と戦後沖縄社会―『非琉球人』の歴史にふれつつ」『大阪大学日本学報』第三〇号（二〇一〇年）、大阪大学大学院文学研究科日本学研究室。

土井智義「米軍統治期の沖縄における『外国人』参政権問題―『非琉球人』をめぐる参政権の歴史について」『大阪大学日本学報』第三一号（二〇一一年）。

土井智義「米軍統治期の『琉球列島』における『外国人』（『非琉球人』）管理体制の一側面―一九五二年七月実施の永住許可措置を中心として」『沖縄県公文書館研究紀要』第一五号（二〇一三年）。

土井智義「米軍統治期の在沖奄美住民の法的処遇について―琉球政府出入管理庁文書を中心として」『沖縄県公文書館研究紀要』第一六号（二〇一四年）。

土井智義「奄美返還時における在沖奄美住民の地位問題に関するノート―ＵＳＣＡＲ 渉外局文書 "Amamian Problem" を中心として」『沖縄県公文書館研究紀要』第一七号（二〇一五年）。

土井智義「一九五〇年前後の沖縄社会における『無籍15者問題』と『在沖奄美人』―『南北琉球』のなかの奄美群島と強制送還について」『PRIME』第四二号（二〇一九年）、明治学院大学国際平和研究所。

土井智義同「アマミ返還時の『在沖奄美人』の地位問題と『非琉球人』登録体制をめぐる考察」『Quadrante』第二一号（二〇一九年）、東京外国語大学海外事情研究所。

小野百合子「奄美における沖縄返還運動―沖縄返還運動の歴史経験が奄美にもたらしたもの」『沖縄文化研究』第四三巻（二〇一六年）。

寿洋一郎「戦後奄美政治の対立構図―保徳戦争前夜の動向を中心に」『地域政策科学研究』第一七号（二〇二〇年）、鹿児島大学大学院人文社会科学研究科地域政策科学専攻。

『南日本新聞』（主として二〇二〇年七月～八月分）。

『南海日日新聞』（主として一九七九年一二月～一九八二年一月分）（『奄美群島住民運動資料』すいれん舎、第一巻、第二巻を利用）。

コラム（掲載順）

鹿児島大学生物多様性研究会編『奄美群島の生物多様性』南方新社、二〇一六年。

遠藤智「徳之島の闘牛文化」『徳之島郷土研究会会報』第三〇号（二〇一〇年）。

小林照幸『闘牛の島』新潮社、一九九七年。

桑原季雄、尾崎孝宏、西村明「東アジア沿海地域における闘牛をめぐるネットワーク形成」『南太平洋研究』第二七号第二巻（二〇〇七年）。

広井忠夫『日本の闘牛―沖縄・徳之島・宇和島・八丈島・隠岐・越後』高志書院、一九九八年。

松田幸治『闘牛研究』南国出版、二〇〇四年。

山田直巳「闘牛の社会経済的考察」『民俗学研究所紀要』第二八号（二〇〇四年）。

石上英一「琉球の奄美諸島統治の諸段階」『歴史評論』第六〇三号（二〇〇〇年）。

喜界町誌編纂委員会『喜界町誌』二〇〇〇年。

永山修一「中世日本の琉球観」『沖縄県史　古琉球』沖縄県教育委員会、二〇〇九年。

村井章介『古琉球　海洋アジアの輝ける王国』角川選書、二〇一九年。

十島村誌編集委員会編『十島村誌』一九九五年。

十島村立口之島小中学校編『前岳　創立80周年記念誌』十島村立口之島小中学校、二〇一五年。

佐竹京子『軍政下奄美の密航・密貿易』南方新社、二〇一九年。

ロバート・Ｄ・エルドリッヂ著『奄美返還と日米関係』南方新社、二〇〇三年。

皆村武一『戦後日本の形成と発展』日本経済評論社、一九九五年。

杉原洋「『北緯三〇度』とは何だったのか」鹿児島県地方自治研究所編『奄美戦後史－揺れる奄美、変容の諸相』南方新社、二〇〇五年。

新崎盛暉『沖縄現代史』（新版）、岩波新書、二〇〇五年。

琉球銀行調査部編『戦後沖縄経済史』琉球銀行、一九八四年。

『奄美群島の経済社会の変容』鹿児島県立短期大学地域研究所、一九九九年。

福石忍（南日本新聞社編）『与論島移住史―ユンヌの砂』南方新社、二〇〇五年。

森崎和江、川西到『与論島を出た民の歴史』葦書房、一九九六年（本書は復刊版で、初版は一九七一年にたいまつ社より刊行）。

与論町誌編集員会編『与論町誌』与論町教育委員会、一九八八年。

二〇一九年度「町勢要覧」与論町役場総務企画課編。

恵原義盛『復刻　奄美生活誌』南方新社、二〇〇九年。

加早苗『捨てた集落』詩人会議出版、二〇一六年。

島尾ミホ、石牟礼道子『対談　ヤポネシアの海辺から』弦書房、二〇〇三年。

登山修『蘇刈民俗誌』瀬戸内町教育委員会、一九七八年。

西古見慰霊碑建立実行委員会『西古見集落誌』奄美共同印刷、一九九四年。

松井健「マイナーサブシステンスの世界」『民族の技術』朝倉書店、一九九八年。

熊華磊「浜における豊かな生活風景とその変化―奄美大島瀬戸内町の三集落を中心に」渡辺芳郎編『奄美群島の歴史・文化・社会的多様性』南方新社、二〇二〇年。

斎藤憲、樫本喜一『奄美　日本を求め、ヤマトに抗う島―復帰後奄美の住民運動』南方新社、二〇一九年。

横田一『漂流者たちの楽園』朝日新聞社、一九九一年。

「共生への道―宇検の住民追放はなぜ？」『南日本新聞』一九九〇年六月一八日～七月二六日付（全三四回連載）。

＊なお、本文中の写真などで特に出典が明記されていないものは、主に各執筆者らによる提供である（Ⅱ章については主に奄美博物館所蔵分）。

表紙写真提供

森直弘、岩下明裕、熊華磊、南海日日新聞社

※本書は、スラブ・ユーラシア研究センターの共同利用・共同研究拠点プロジェクト「国境の変動・変容と人びと意識変容・行動変容」（二〇二一年度）の成果に依拠している。また基盤研究B「『領土』をめぐる実態と社会構築」（代表　岩下明裕）の研究成果の一部でもある。

執筆者一覧

平井一臣《ひらいかずおみ》：鹿児島大学法文学部教授　専門は政治史、地域政治

高梨修《たかなしおさむ》：奄美市立奄美博物館長　専門は考古学、境界領域論

コンペル・ラドミール：長崎大学多文化社会学部准教授　専門は比較政治学

岩下明裕《いわしたあきひろ》：北海道大学スラブ・ユーラシア研究センター 教授
専門はボーダースタディーズ（境界研究・国境学）

コラム

河合渓《かわいけい》　：鹿児島大学国際島嶼教育研究センター教授
桑原季雄《くわはらすえお》：鹿児島大学名誉教授
永山修一《ながやましゅういち》：ラ・サール学園教諭
久部良和子《くぶらなぎこ》：沖縄県平和祈念資料館主任学芸員
前利潔《まえとしきよし》　：知名町立図書館長
町泰樹《まちたいき》　：鹿児島工業高等専門学校准教授
熊華磊《ゆうからい》　：鹿児島工業高等専門学校講師
杉原洋《すぎはらひろし》　：元南日本新聞記者、元鹿児島大学法文学部准教授

ブックレット・ボーダーズ　No.8

知られざる境界のしま・奄美

2021年11月10日　第1刷発行

編著者　平井一臣
発行者　木村崇

発行所　特定非営利活動法人 国境地域研究センター
〒460-0013　名古屋市中区上前津2丁目3番2号　第一木村ビル302号
tel 050-3736-6929　fax 052-308-6929
http://borderlands.or.jp/　　info@borderlands.or.jp

発売所　北海道大学出版会
〒060-0809　札幌市北区北9条西8丁目北大構内
tel. 011-747-2308　fax. 011-736-8605
http://www.hup.gr.jp/

装丁・DTP編集　ささやめぐみ
印刷　(株)アイワード

ISBN978-4-8329-6874-5